TIAGO

Transformando provas em triunfo

Hernandes Dias Lopes

TIAGO

Transformando provas em triunfo

1ª edição: março de 2006

16ª reimpressão: dezembro de 2023

Revisão
Kerigma
Regina Aranha

Capa
Souto Crescimento de Marca (layout)
Patricia Caycedo (adaptação)

Editor
Aldo Menezes

Coordenador de produção
Mauro Terrengui

Impressão e acabamento
Imprensa da Fé

Editora Hagnos Ltda.
Rua Geraldo Flausino Gomes, 42, conj. 41
CEP 04575-060 — São Paulo, SP
Tel.: (11) 5990-3308

E-mail: hagnos@hagnos.com.br
Home page: www.hagnos.com.br

Editora associada à:

Dados Internacionais de Catalogação na Publicação (CIP)

Angélica Ilacqua CRB-8/7057

Lopes, Hernandes Dias
Tiago: transformando provas em triunfo / Hernandes Dias Lopes. — São Paulo: Hagnos, 2006. (Comentários Expositivos Hagnos).

ISBN 85-89320-88-X

1. Bíblia NT Tiago: comentários
2. Bíblia NT Tiago: comentários Crítica e interpretação
3. Palavra de Deus
I. Título

06-1180 CDD 227.9106

Índices para catálogo sistemático:

1. Carta de Tiago: Novo Testamento e crítica 227.9106
2. Tiago: Epístola: Novo Testamento e crítica 227.9106

Dedicatória

DEDICO ESTE LIVRO a meu querido filho Thiago. Ele tem sido um amigo, companheiro e incentivador na lida do ministério. Minha ardente oração ao Pai é para que ele seja um jovem fiel, instrumento valoroso nas mãos de Deus.

Sumário

Introdução

Antes de escrever este livro, eu o preguei. Antes das palavras fluírem de minha pena, arderam em meu coração e foram proclamadas pelos meus lábios. O texto que você tem em mãos são mensagens emanadas da Palavra de Deus, através do estudo e da oração, que queimaram primeiro o meu peito e depois foram compartilhadas com a igreja.

A carta de Tiago é um dos livros mais atuais e necessários para a igreja contemporânea. Tiago é comparado ao sermão do monte. Ele tem princípios práticos. Ele tange os grandes temas da vida cristã de forma clara, direta e rica. Tiago está preocupado com a prática do cristianismo. Para ele não basta ter um credo, fazer uma profissão de fé ortodoxa, é preciso viver de forma digna de Deus.

A leitura deste livro desafiará você a fazer um balanço de sua vida, um diagnóstico de sua experiência cristã. É impossível colocar-se diante do espelho deste livro sem identificar a necessidade de sermos corrigidos por Deus.

Meu propósito é pastoral. Anseio, de toda a minha alma, que você leia este livro e redescubra o sabor de estudar as Escrituras. Creio firmemente que a exposição bíblica é a maior necessidade da igreja evangélica brasileira. Precisamos desesperadamente de uma volta às Escrituras. Precisamos de uma revitalização nos púlpitos e também nos bancos.

Capítulo 1

Como transformar provações em triunfo

(Tiago 1.1-4)

COMEÇAR O ESTUDO DE UM LIVRO da Bíblia é como fazer uma viagem. Você deve decidir antes para onde vai e o que espera ver.

A carta de Tiago é um livro prático. Esse livro é considerado o livro de Provérbios do Novo Testamento.[1] Tiago é mais pregador que escritor.[2] É como se ele nos agarrasse pela lapela, fitasse-nos olhos e falasse conosco algo urgente. Um dos grandes problemas que a igreja estava enfrentando era colocar em prática aquilo que eles professavam. A vida estava divorciada da teologia. Esse também é o problema da igreja contemporânea. Daí, a pertinência e a urgência de estudarmos Tiago.

[1] GEORGE, Elizabeth. *Tiago – Crescendo em sabedoria e fé*. São Paulo: United Press, 2004, p. 54.

[2] MOTYER, J. A. *The Message of James*, Leicester, England: InterVarsity Press, 1985, p. 11.

O tema central de Tiago é: o nascimento (1.13-19a), o crescimento (1.19b-25) e a maturidade (1.26 - 5.6) do cristão.[3] Através das provas, pela paciência, recebemos a coroa. A primeira ênfase de Tiago é sobre o novo nascimento (1.13-19a). Embora a velha natureza permaneça ativa (1.13-16), o Pai nos trouxe ao novo nascimento pela Sua Palavra (1.17-19a). A segunda ênfase é sobre o crescimento espiritual (1.19b-25). Nós crescemos pelo ouvir (1.19), receber (1.21) e obedecer (1.22-25) a Palavra. A terceira ênfase é sobre a maturidade espiritual (1.26 – 5.6). Há três notáveis desenvolvimentos que são característicos da verdadeira maturidade cristã: 1) O controle da língua (1.26); 2) O cuidado dos necessitados (1.27a); 3) A pureza pessoal (1.27b).

Por que Tiago escreveu esta carta? Para resolver alguns problemas:

1) Eles estavam passando por duras provações;
2) Eles estavam sendo tentados a pecar;
3) Alguns crentes estavam sendo humilhados pelos ricos, enquanto outros estavam sendo roubados pelos ricos;
4) Alguns membros da igreja estavam buscando posições de liderança;
5) Alguns crentes estavam falhando em viver o que pregavam;
6) Outros crentes estavam vivendo de forma mundana;
7) Outros não conseguiam dominar a língua;
8) Outros estavam se afastando do Senhor;
9) Havia crentes que estavam vivendo em guerra uns contra os outros.

---

[3] GEORGE, Elizabeth. *Tiago – Crescendo em Sabedoria e Fé*, 2004, p. 12.

Esses são os mesmos problemas que enfrentamos hoje. Para Tiago, a raiz de todos esses problemas era a imaturidade cristã.

Tiago fala-nos sobre algumas transformações que Deus opera em nós:

Transformados de incrédulos em servos de Cristo (Tg 1.1)

Quem é esse Tiago, autor dessa carta? O autor identifica-se como Tiago (1.1). Havia três deles: Tiago, apóstolo, filho de Zebedeu, irmão de João; Tiago, apóstolo, filho de Alfeu; e, Tiago, irmão de Jesus, filho de Maria e José (Mt 13.55). Essa carta não poderia ser do apóstolo Tiago, filho de Zebedeu, porque ele foi morto antes de a carta ser escrita (At 12.2). Tiago, filho de Alfeu, não exerceu nenhuma influência notória na igreja cristã. Essa carta, portanto, foi escrita por Tiago, irmão de Jesus. No começo, ele não cria em Jesus (Jo 7.2-5). Mais tarde, ele tornou-se um proeminente líder na vida da igreja.

Tiago foi uma das seletas pessoas para quem Cristo apareceu depois da ressurreição (1Co 15.7). Ele estava no cenáculo, com os apóstolos no Pentecostes (At 1.14). Paulo o chamou de pilar da igreja de Jerusalém (Gl 2.9). Paulo viu Tiago quando foi a Jerusalém depois de sua conversão (Gl 1.19), bem como em sua última viagem a Jerusalém (At 21.18).

Quando Pedro saiu da prisão, falou para seus amigos contarem a Tiago (At 12.17). Tiago foi o líder do importante concílio de Jerusalém (At 15.13). Judas identificou-se simplesmente como o irmão de Tiago (Jd 1).

Tiago foi apedrejado em 62 d.C., pelo sinédrio. Embora amado pelo povo, Tiago era odiado pela aristocracia sacerdotal que governava a cidade. O sumo sacerdote Ananos levou Tiago ao sinédrio, sendo ele condenado e apedrejado, sobretudo pelas posições severas que tomara contra a aristocracia abastada que explorava os pobres, e à qual Ananos pertencia (Tg 5.1-6).

De incrédulo a crente, de crente a líder, de líder a servo de Cristo. Ele não se apresenta como irmão do Senhor, mas como seu servo. Ele é um homem humilde. Essa é a transformação que o evangelho produz! É impossível alguém ser um verdadeiro cristão sem primeiro ser humilde de espírito. Charles Spurgeon diz que Deus não deseja nada de nós, exceto nossas próprias necessidades. Não é o que temos, mas o que não temos que é o primeiro ponto de contato entre nossa alma e Deus.[4] Elizabeth George, citando um especialista da língua grega diz,

> A palavra grega *doulos* (escravo, servo) refere-se a uma posição de obediência completa, humildade absoluta e lealdade inabalável. A obediência era a tarefa, a humildade, a posição, e a lealdade, o relacionamento que um senhor esperava de um escravo... Não há maior atributo para o crente, que ser conhecido como servo de Jesus, obediente, humilde e leal.[5]

Transformados em um povo especial, mas não em um povo isento de aflições (Tg 1.1)

As doze tribos referem-se aqui aos judeus cristãos (2.1; 5.7,8) que possivelmente se converteram no Pentecostes e foram dispersos depois do martírio de Estêvão (At 8.1;

[4] SPURGEON, Charles H. *God Will Bless You*. New Kensington, PA: Whitaker House, 1997, p. 25.

[5] GEORGE, Elizabeth. *Tiago – Crescendo em sabedoria e fé*. p. 15.

11.19). Por força ou por escolha, os judeus estavam vivendo por toda parte do Império Romano.[6] Eles são crentes, mas são perseguidos. Eles são cidadãos dos céus, mas vivem dispersos na terra. Eles são crentes, mas tiveram seus bens saqueados. Eles são crentes, mas são pobres e, muitos deles, estão sendo oprimidos pelos ricos (5.1-6). Eles são crentes, mas ficam enfermos (5.14). Eles são crentes, mas sofrem (5.13).

Vida cristã não é uma redoma de vidro, uma estufa espiritual, uma colônia de férias, antes, é um campo de batalha. Não somos poupados dos problemas, mas nos problemas. Hoje fazemos as mesmas perguntas: por que um crente fiel fica desempregado? Por que um crente fiel sofre com câncer? Por que um crente fiel enfrenta o luto e passa por duras e amargas provações?

Transformando tribulações em triunfo (Tg 1.2-4)

Tiago, falando sobre as provações da vida cristã, ensina-nos quatro verdades fundamentais:

Em primeiro lugar, *as provações são compatíveis com a fé cristã* (Tg 1.2). Por que os crentes sofrem? Por que um crente passa privações? Por que sofre prejuízos? Por que fica doente em cima de uma cama? Por que são injustiçados? Deus nos adverte a esperar as provações. A vida cristã não é um mar de rosas. Jesus advertiu: "No mundo tereis tribulações..." (Jo 16.33). O apóstolo Paulo disse: "... por muitas tribulações nos é necessário entrar no reino de Deus" (At 14.22). Ainda, Paulo disse: "... todos os que querem viver piamente em Cristo Jesus padecerão perseguições" (2Tm 3.12). O grande patriarca Jó disse: "... o homem nasce para a tribulação, como as faíscas voam para

[6] GEORGE, Elizabeth. *Tiago – Crescendo em sabedoria e fé*. p. 16.

cima" (Jó 5.7). James Montgomery Boyce, interpretando Jó, disse: "É simplesmente a sorte de homens e de mulheres nascer em dor, causar dor, sofrer dor e morrer em dor".[7]

Somos um povo na dispersão, enfrentamos muitas provações. Somos peregrinos neste mundo. Nossa Pátria permanente não é aqui. Nosso lar permanente não é aqui. Nossa Pátria está no céu. As provações que enfrentamos aqui, rumo à cidade cujo arquiteto e fundador é Deus, porém, visam a nossa maturidade espiritual. As provações procedem: primeiro, de nossa humanidade. Pertencemos à raça humana sofremos doenças, acidentes, desapontamentos. Segundo, as provações procedem da nossa pecaminosidade. Criamos problemas com nossa língua, com nossas atitudes. Uma pessoa que morre de câncer, depois de ter fumado dezenas de anos, não pode culpar a ninguém por sua morte.[8] Muitas vezes, nosso sofrimento é resultado de nossas escolhas erradas. Terceiro, as provações procedem de nossa vida cristã. Muitas tribulações, nós as enfrentamos exatamente por sermos cristãos, pois Satanás, o mundo e a própria carne lutam contra nós. Quarto, as provações visam trazer glória ao nome de Deus. João registra a cura de um homem cego de nascença. Ele nasceu cego para que nele fosse manifestada a glória de Deus (Jo 9.3).

Em segundo lugar, *as provações são variadas* (1.2). A palavra *várias* vem do grego *poikilos*. Esta palavra significa de diversas cores, multicolorido. As provações são policromáticas. Existem provações rosa claro, como esmalte de noiva; provações rosa choque; provações cinza; provações tenebrosas. Deus tece todas essas provações e faz um lindo mosaico. Todas as coisas cooperam para o

---

[7] BOYCE, James Montgomery. *Creio sim, mas e daí?* São Paulo, SP: Editora Cultura Cristã, 1999, p. 18

[8] BOYCE, James Montgomery. *Creio sim, mas e daí?* p. 19.

bem daqueles que amam a Deus (Rm 8.28). Para cada cor de provação, existe a graça suficiente de Deus para sustentar-nos. A graça de Deus é multiforme (*poikilos)* (1Pe 4.10). Há provas fáceis e provas difíceis. Há provas que são maiores que nossas forças. Há provas que enfrentamos sozinhos, como Jesus no Getsêmani. Deus sabe o que está fazendo em nossa vida. Ele é como um escultor. Ele está esculpindo em nós a beleza de Jesus (Rm 8.29; 2Co 3.18).

Em terceiro lugar, *as provações são passageiras* (1.2). As provações não duram a vida inteira. Ninguém agüenta uma vida inteira de provas. Ninguém agüenta uma viagem inteira de turbulência. Depois da noite, vem a manhã. Depois do choro, vem a alegria. Depois da tempestade, vem a bonança. Não vamos ficar estacionados na arena das provações. Estamos passando por elas: alguns passam de avião supersônico, outros de trem bala, outros de automóvel, outros de bicicleta, outros a pé, outros engatinhando, mas todos passam.

Em quarto lugar, *as provações são pedagógicas* (1.3,4). Nas provações da vida, nossa fé é testada para mostrar a sua genuinidade. Quando Deus chamou a Abraão para viver pela fé, ele o testou com o fim de aumentar a sua fé. Deus sempre nos prova para produzir o melhor em nós; Satanás nos tenta para fazer o pior em nós. As provas da fé provam que, de fato, nascemos de novo.

As provações de nossa fé trabalham por nós, e não contra nós, visto que produzem perseverança. Deus está no controle de nossa vida. Tudo tem um propósito. Diz o apóstolo Paulo: "Sabemos que todas as coisas cooperam para o bem daqueles que amam a Deus..." (Rm 8.28). Paulo diz ainda que a nossa leve e momentânea tribulação produz para nós eterno peso de glória (2Co 4.17). Em Efésios 2.8-10, Paulo diz que Deus trabalha por nós, em nós e através de nós. Ele trabalhou em Abraão, José, Moisés antes de trabalhar através deles. É assim que Deus faz com você ainda hoje.

A perseverança visa nos levar à maturidade. Paulo diz em Romanos 5.3-5 que as tribulações são pedagógicas, levam-nos à maturidade. A palavra *hupomone* significa paciência com as circunstâncias, ou seja, coragem e perseverança em face do sofrimento e das dificuldades.[9] Os crentes imaturos são sempre impacientes. A impaciência pode acarretar graves conseqüências: Abraão coabitou com Agar, Moisés matou o egípcio, Sansão contou seu segredo para Dalila e Pedro quase matou Malco. Maturidade não se alcança apenas lendo um livro, é preciso passar pelas provas!

As provações visam a glória de Deus. Jesus disse que o cego de nascença nasceu cego para que nele se manifestasse a glória de Deus. De Lázaro, Jesus disse: "Esta enfermidade não é para morte, e sim para a glória de Deus..." (Jo 11.4). Depois de provado por Deus e restaurado por Ele, Jó disse: "Com os ouvidos eu ouvira falar de ti; mas agora te vêem os meus olhos" (Jó 42.5).

Qual deve ser a atitude com que vamos enfrentar as provações da vida? Tiago responde: "... tende por motivo de grande gozo...". Em vez de murmurar, de reclamar, de ficar amargo, de enfiar-se em uma caverna, devemos nos alegrar intensamente. Essa alegria é confiança segura na soberania de Deus, de que Ele está no controle, de que Ele sabe o que está fazendo e sabe para onde está nos levando.

---

[9] CHAMPLIN, Russell Norman. *O Novo Testamento Interpretado – Tiago. Vol. 6.* A Voz Bíblica. Guaratinguetá, São Paulo: Hagnos, p. 16.

Capítulo 2

Como viver com sabedoria

(Tiago 1.5-18)

TIAGO ESCREVE ESTA CARTA para ajudar os crentes dispersos a vencerem as provações a que estavam expostos, buscando, ao mesmo tempo, o alvo da maturidade cristã. Ele ensinou (1.2-4) que as provas são compatíveis com a fé cristã, são variadas, passageiras e pedagógicas. Agora, Tiago vai nos mostrar como viver com sabedoria neste mundo, no meio dessas provas. Champlin, citando Cícero, disse que a sabedoria era a "a princesa das virtudes", a fonte do conhecimento bem aplicado.[10] Elizabeth George comentando Tiago 1.5,6, diz que há três passos para conseguirmos essa sabedoria:

[10] CHAMPLIN, Russell Norman. *O Novo Testamento Interpretado – Tiago. Vol. 6*, p. 17.

o primeiro, é pedirmos; o segundo, é pedirmos a Deus; o terceiro, é pedirmos com fé.[11]

Como lidar de forma sábia com as provações (Tg 1.5-12)

O alvo de Deus em nossa vida é a maturidade cristã (1.2-4,12; Rm 8.29; Cl 1.28). À medida que somos provados, precisamos pedir a Deus para nos mostrar o que Ele está fazendo (1.5). Deus nos prova para nos fazer desmamar de atitudes infantis.

Para alcançar esse alvo da maturidade, Deus faz três coisas (Ef 2.8-10): em primeiro lugar, há uma obra que Deus realiza por nós: a salvação. Em segundo lugar, há uma obra que Deus realiza em nós: a santificação. Em terceiro lugar, há uma obra que Deus realiza através de nós: o serviço.

Deus trabalhou 25 anos na vida de Abraão antes de lhe dar o filho da promessa. Deus trabalhou 13 anos na vida de José antes de colocá-lo no trono. Deus trabalhou oitenta anos na vida de Moisés antes de usá-lo como líder do seu povo. Jesus trabalhou três anos na vida dos apóstolos antes de enviá-los ao mundo.

Tiago nos ensina alguns princípios para lidarmos com as provações.

Em primeiro lugar, *quando somos provados precisamos pedir sabedoria* (1.5-8). Quando estamos sendo provados, precisamos de discernimento e sabedoria (1.5; 3.13-18). O que é sabedoria? É mais que conhecimento. Sabedoria é o uso correto do conhecimento. Conhecimento pode ser definido, nesse contexto, como conhecer bem a Bíblia. Sabedoria é usar bem a Bíblia. Sabedoria é olhar para a vida com

---

[11] GEORGE, Elizabeth. *Tiago – Crescendo em sabedoria e fé*. p. 30,31.

os olhos de Deus. O sábio busca maturidade e não prazer. Há pessoas cultas e tolas. Há pessoas que têm erudição, mas não sabem viver a vida nem fazer escolhas certas.

Quando estamos sendo provados, precisamos de sabedoria para não desperdiçar as oportunidades que Deus está nos dando para chegarmos à maturidade. A sabedoria nos ajuda a entender como usar as provas para nosso bem e para a glória de Deus.

Em segundo lugar, *quando somos provados precisamos conhecer o caráter de Deus* (1.5). Tiago nos ensina três coisas sobre Deus neste versículo: é da natureza de Deus dar (1.5): Deus é a fonte da sabedoria. Ele é o doador. A generosidade de Deus é ilimitada. A generosidade de Deus não conhece limites na terra: é para todos. A generosidade de Deus não conhece limites no céu: Ele dá liberalmente. A acolhida de Deus é garantida (1.5): Deus não rejeita aquele que o busca (Sl 66.20).

Em terceiro lugar, *quando somos provados precisamos orar com fé* (1.6-8). Tiago compara o homem que ora a Deus, mas duvida, a três figuras: ele é como as ondas do mar (1.6), como uma pessoa que oscila entre fé e incredulidade, ânimo e desânimo, otimismo e pessimismo. Ora está no alto, ora no vale. Um dia fervoroso, outro dia abatido. Ele é também como um homem que tem duas mentes em um só corpo (1.6). A palavra grega "duvidando", *diacrimonai,* significa duas mentes. É uma pessoa dividida entre duas mentes. A fé diz sim, mas a descrença diz não. Uma hora ele diz sim, outra hora ele diz não. Ele ainda é como duas almas em um só corpo (1.8). A palavra grega "dobre", *dipsychoi*, significa duas almas. Almas divididas.[12] É tentar andar em dois caminhos. É tentar servir a dois senhores.

[12] MOTYER, J. A. *The Message of James*, p. 40.

Tiago fala de dois resultados negativos ao crente que ora, mas duvida: primeiro, fracasso na oração (1.6). Segundo, inconstância espiritual (1.8). Ele não vai chegar à maturidade, mas vai estar exposto aos ventos de doutrina (Ef 4.14). Há crentes que não se firmam na igreja.

Harold D. Foos ilustra bem a pessoa que ora, mas duvida, que oscila entre a fé e a incredulidade,

> O que duvida é como uma onda agitada pelo vento, para lá e para cá, para cima e para baixo, para frente e para trás, ao sabor do vento. Como um navio desorientado, como um homem sem direção e sem controle. Você conhece alguém assim? De um jeito hoje, de outro jeito amanhã, ontem por cima, hoje por baixo, à mercê das mais variadas circunstâncias, porque esse alguém não tem sua vida ancorada na Palavra de Deus e não busca a direção do Espírito de Deus. Deus não responde a alguém assim. E isso não ocorre por causa de uma falha no caráter de Deus ou uma falta de desejo da parte dEle... mas é a conseqüência de uma falha daquele que pede.[13]

Em quarto lugar, *quando somos provados precisamos nos alegrar com as riquezas espirituais* (1.9-11). Tiago aplica o princípio da sabedoria nas provas em duas circunstâncias específicas: cristãos pobres e cristãos ricos. Dinheiro e *status* eram problemas reais entre aqueles irmãos (2.1-7, 15,16; 4.1-3; 5.1-8). A Bíblia jamais ensina que a riqueza em si é um mal. O próprio Deus deu a Salomão tanto a riqueza como a sabedoria (1Rs 3.12,13). Tudo depende de como a riqueza é adquirida, como é usada e qual o lugar que ela ocupa no coração de quem a possui.[14] O pobre deve gloriar-se pelo

[13] FOOS, Harold D. *Faith in Practice*. Chicago: The Moody Bible Institute, 1984, p. 34,35.

[14] MOTYER, J. A. *The Message of James*, p. 45.

que tem permanente no céu. O rico pelo que não tem permanente na terra. O pobre deve gloriar-se em sua dignidade, o rico em sua insignificância. É conhecida a expressão do missionário, Jim Elliot, mártir morto pelos índios Aucas: "Não é tolo aquele que perde o que não pode acumular, para ganhar o que não pode perder". O pobre ao ser provado diz: mas quão rico eu sou. O rico ao ser provado pelas glórias do mundo diz: mas quão vulnerável eu sou. Cada um olha para a sua vida na perspectiva da eternidade.

No versículo 10 Tiago oferece uma comparação: o rico é como a flor. Ele é extremamente frágil. No versículo 11 ele faz uma explanação: "Pois o sol...". Ele é totalmente dependente. No versículo 11b, ele tira uma conclusão: "... assim murchará também". Tiago mostra, assim, a instabilidade da riqueza.

Em quinto lugar, *quando somos provados precisamos estar de olho na recompensa* (1.12). Quando Deus nos prova é para o nosso bem, por isso somos bem-aventurados. Quando somos provados, desenvolvemos a paciência triunfadora. Quando somos provados somos aprovados por Deus. Quando somos provados somos galardoados por Deus. Quando somos provados temos a oportunidade de demonstrar nosso amor por Deus. A Bíblia diz que nossa leve e momentânea tribulação produz para nós eterno peso de glória (2Co 4.17). Como Lutero expressou no hino *Castelo Forte,* ainda que percamos família, bens, prazeres, Deus continua sendo nosso castelo forte. Herbert Lockyer narra uma história que lança luz sobre essa questão,

> A história é contada por uma mulher piedosa que, tendo enterrado um de seus filhos, recolheu-se a sua melancolia. Contudo, quando leu o Salmo 18.46: 'Vive o Senhor', foi consolada. Então, outro filho morreu. Ainda assim, ela permaneceu calma e confiante, enquanto dizia: 'o consolo pode morrer, mas Deus está vivo'. Porém, o mais pesado golpe de todos ocorreu quando o seu amado esposo morreu, e ela quase foi subjugada pelo sofrimento. Mas sua filha que sobrevivera, observando como antes sua mãe falava para confortar-se a si mesma, perguntou-lhe, desconsolada: 'Deus morreu, mamãe? Deus morreu?'. Isso alcançou o dolorido coração daquela mulher, e a sua antiga confiança no Deus vivo retornou.[15]

O fato de sermos provados nos capacita, não apenas para recebermos recompensa futura, mas também nos equipa para sermos usados por Deus agora. Li algo maravilhoso que nos ajuda a entender esse princípio:

> O processo utilizado no passado para o cultivo das árvores que se tornariam os mastros principais dos navios militares e mercantes era assim: os grandes construtores de navios selecionavam as árvores localizadas no topo das altas colinas para, provavelmente, virem a ser o mastro de um navio. Então, eles cortavam todas as árvores que as circundavam e que protegeriam da força do vento as árvores escolhidas. Com o passar dos anos, e com os fortes açoites dos ventos contra aquelas árvores, elas cresciam e se tornavam mais fortes ainda, até que, finalmente, estavam suficientemente firmes para serem o mastro de um navio.[16]

---

[15] LOCKYER, Herbert. *A Devotional Commentary – Psalms*. Grand Rapids, Michigan: Kregel Publications, 1993, p. 63,64.

[16] DOWNING, Jim. *Meditations, the Bible Tells You How*. Colorado Springs: NavPress, 1976, p. 15,16.

Como lidar de forma sábia com as tentações (Tg 1.13-18)

Uma pessoa madura é paciente nas provas.[17] Uma pessoa imatura transforma provas em tentações. Warren Wiersbe diz que provas são testes enviados por Deus, e tentações são armadilhas enviadas por Satanás.[18] Quando Deus nos prova é para que possamos passar no teste e herdar as bênçãos.

Quando passamos por dificuldades somos tentados a questionar o amor e o poder de Deus. Então, Satanás oferece um caminho para escaparmos das provas. Essa oportunidade é uma tentação. Quando Jesus estava jejuando e orando no deserto, Satanás o tentou, sugerindo a ele que transformasse pedras em pães.

Há três fatos que devemos considerar se queremos vencer as tentações.

Em primeiro lugar, *olhe para frente e considere o julgamento de Deus* (1.13-16). Não culpe a Deus pela tentação, Ele é absolutamente santo para ser tentado e Ele é absolutamente amoroso para tentar.[19] Deus nos prova como provou a Abraão, mas Ele não nos tenta. A prova é para santificar-nos. A tentação é para derrubar-nos. Uma tentação é uma oportunidade de fazer uma coisa boa de maneira errada, como por exemplo: passar em uma prova é coisa boa, mas colar na prova para passar é uma coisa errada; o prazer sexual é uma coisa boa, mas o sexo fora do casamento é uma coisa errada. A provação visa a nosso fortalecimento; a tentação, a nossa queda.

---

[17] WIERSBE, Warren. *The Bible Expository Commentary*. Vol. 2. Colorado Springs, Colorado: Chariot Victor Publishing, 1989, p. 341.

[18] WIERSBE, Warren. *The Bible Expository Commentary*. Vol. 2, p. 341.

[19] WIERSBE, Warren. *The Bible Expository Commentary*. Vol. 2, p. 342.

Tiago vê o pecado não apenas como um ato, mas como um processo em quatro estágios: o primeiro estágio é o *desejo ou cobiça* (1.14). A palavra que Tiago usou para "desejo", *epithymia,* não necessariamente tem um sentido de desejo mau e impuro.[20] Podemos transformar um desejo legítimo em um desejo pecaminoso. A cobiça é a tentativa de satisfazer um desejo fora da vontade de Deus. Comer é normal, glutonaria é pecado. Dormir é normal, preguiça é pecado. Sexo no casamento é normal, sexo fora do casamento é pecado.[21] Os desejos devem estar sob controle, e não no controle. Devemos controlar os desejos, não estes a nós.

O segundo estágio é o *engano* (1.14). Tiago usa duas figuras para ilustrar o engano da tentação: a figura do caçador que usa uma armadilha (atrai) e a figura do pescador que usa o anzol com isca (seduz). Se Ló pudesse ver a ruína que estava por trás de Sodoma, e se Davi pudesse ver a tragédia sobre a sua casa quando se deitou com Bate-Seba, eles jamais teriam caído. Precisamos identificar a isca e a arapuca do diabo, para não cairmos na rede de seu engano.

O terceiro estágio é *o nascimento do bebê chamado pecado* (1.15). Tiago muda a figura da armadilha e do anzol para a figura do nascimento de um bebê maldito, chamado PECADO.

O quarto estágio é *a morte* (1.16). A cobiça, depois de haver concebido, dá à luz o pecado; e o pecado, uma vez consumado, gera a morte. Vemos aqui a genealogia do pecado. A cobiça é a mãe do pecado e a avó da morte. O salário do pecado é a morte (Rm 6.23).

---

[20] MOTYER, J. A. *The Message of James,* p. 52.

[21] WIERSBE, Warren. *The Bible Expository Commentary.* Vol. 2, p. 342.

Em segundo lugar, *olhe ao redor e considere a bondade de Deus*[22] (1.17). Quando Satanás tentou Eva no jardim do Éden e Jesus no deserto, ele questionou o amor de Deus. A bondade de Deus é o grande escudo contra a tentação do diabo. Quando sabemos que Deus é bom, não precisamos cair nas armadilhas do diabo para suprir nossas necessidades. É melhor estar faminto dentro da vontade de Deus do que estar farto e cheio fora da vontade de Deus (Dt 6.10-15). Jesus foi categórico com Satanás: "... não só de pão viverá o homem, mas de toda palavra que sai da boca de Deus" (Mt 4.4). Uma coisa é ser tentado, outra coisa é ceder à tentação. Não é pecado ser tentado, mas sim ceder à tentação. Lutero costumava dizer: "Você não pode impedir que um pássaro voe sobre a sua cabeça, mas você pode impedir que ele faça ninho em sua cabeça".[23]

Tiago apresenta três fatos sobre a bondade de Deus: *Deus dá somente boas dádivas.* Tudo o que Deus dá é bom, até as provas. O espinho na carne de Paulo foi um dom estranho, mas foi uma grande bênção para ele (2Co 12.1-10). *Deus dá constantemente.* O verbo "descendo" é um presente particípio, cujo significado é: continua sempre descendo. Deus não dá seus dons apenas ocasionalmente, mas constantemente. *Deus não muda.* Deus não pode mudar para pior porque Ele é santo. Ele não pode mudar para melhor porque Ele é perfeito. O primeiro escudo contra a tentação é o julgamento de Deus. O segundo é a bondade de Deus.

Tudo o que Deus nos dá é bom. Toda boa dádiva procede das Suas mãos. Ele, muitas vezes, nos dá não o que pedimos, mas o que precisamos. Seríamos destruídos se

---

[22] WIERSBE, Warren. *The Bible Expository Commentary*. Vol. 2, p. 343.

[23] TUCK, Robert. *The Preacher's Homiletic Commentary – James*. Vol. 29. Grand Rapids, Michigan: Baker Books, 1996, p. 493.

Deus deferisse todas nossas orações. Muitas vezes pedimos uma pedra, pensando que estamos pedindo um pão; pedimos uma serpente, pensando que estamos pedindo um peixe. Deus, então, é tão bondoso, que não nos dá o que pedimos, mas o que necessitamos. Elizabeth George registra uma sublime mensagem sobre os paradoxos da oração,

> Pedi a Deus força, para que eu pudesse alcançar êxito. Fui enfraquecido, para que pudesse aprender a humildade para obedecer...
> Pedi saúde, para que eu pudesse fazer grandes coisas. Fiquei enfermo, para que pudesse fazer coisas melhores...
> Pedi riquezas, para que eu pudesse ser feliz. Foi me dada a pobreza, para que eu pudesse ser sábio...
> Pedi poder, para que eu pudesse ter o louvor dos homens. Recebi fraqueza, para que eu sentisse a necessidade de Deus...
> Pedi todas as coisas, para que pudesse desfrutar a vida. Foi me dada a vida, para que eu pudesse desfrutar todas as coisas...
> Não recebi nada do que pedi, mas tudo de que precisava. Quase que a despeito de mim mesmo, minhas orações não respondidas foram respondidas. Eu sou, dentre todos os homens, o mais ricamente abençoado.[24]

Tiago diz que: "toda boa dádiva e todo dom perfeito vem do alto, descendo do Pai das luzes, em quem não há mudança nem sombra de variação" (1.17). Os comentaristas Spence e Exell fazem a seguinte exposição:

> Nós adoramos, não as luzes, mas "o Pai das luzes". Considere algumas das luzes das quais Deus é o Pai: a luz do sol. O sol é uma grande obra de Deus. Todo o nosso mundo recebe toda a luz do sol. Mesmo a luz da lua e a luz das estrelas são

[24] GEORGE, Elizabeth. *Tiago – Crescendo em sabedoria e fé*, p. 44.

> reflexos da luz do sol. A luz da verdade. Esta nos dá a luz do conhecimento. Nós temos essa luz da verdade na Bíblia, "uma luz que alumia em lugar escuro", e no Salvador, "a luz do mundo", o querido Filho do "Pai das luzes". A luz celestial. A casa de Deus no céu é cheia de luz. No inferno, tudo são trevas, aqui na terra há um misto de luz e trevas; no céu há somente luz. "E ali não haverá mais noite". Deus e o Cordeiro serão a sua luz. E tudo no céu reflete essa luz: os muros são de jaspe, os portões de pérola, as ruas de ouro, o rio de cristal, as vestiduras brancas. É a santidade que é a luz do céu. Tudo ali é puro. Quando um homem piedoso morre, a luz da graça faz com que ele resplandeça a luz da glória. E toda a santidade do céu transborda Daquele que é Santo, Santo, Santo – "O Pai das luzes".[25]

Em terceiro lugar, *olhe para dentro e considere a natureza divina dentro de você*[26] (1.18). Tiago usou o nascimento para falar do pecado e da morte. Mas ele também usou o nascimento para falar da nova vida. Vejamos as características desse novo nascimento: primeiro, a origem do novo nascimento: ele é divino e gracioso. Nicodemos pensou que precisaria voltar ao ventre materno (Jo 3.4-7). Mas o novo nascimento é o nascimento de cima, do alto, de Deus, do Espírito. Não depende de nossa vontade (Jo 1.13) nem de nossa participação (Jo 3.6). Não nascemos de novo por causa dos nossos pais, decisões ou religião. O novo nascimento é obra de Deus. Segundo, o meio do novo nascimento: ele é operado através da Palavra de Deus. Assim como o nascimento natural vem pelo relacionamento do pai e da mãe, o nascimento espiritual vem por meio da Palavra e do Espírito (1Pe 1.23).

---

[25] SPENCE, H. D. M. e EXELL, Joseph S. *The Pulpit Commentary, Vol. 21 - James*. Grand Rapids, Michigan: William B. Eerdmans Publishing Company, 1978, p. 14,15.

[26] WIERSBE, Warren. *The Bible Expository Commentary*. Vol. 2, p. 343.

Terceiro, o propósito do novo nascimento: "... para que fôssemos como que primícias das suas criaturas" (1.18). Este é o mais nobre dos nascimentos. Somos as primícias das suas criaturas. O novo nascimento é o mais alto nascimento, para o mais alto tipo de vida.[27]

[27] MOTYER, J. A. *The Message of James*, p. 58,59.

Capítulo 3

Como saber se minha religião é verdadeira

(Tiago 1.19-27)

A ÊNFASE NESSE PARÁGRAFO é sobre o auto-engano (1.22,26). Se um crente é enganado, porque o diabo o engana, é uma coisa; mas, se ele peca porque se engana a si mesmo, é uma coisa muito mais séria.[28] Muitas pessoas estão pensando que estão salvas, mas ainda não estão (Mt 7.22,23). Muitas pessoas pensam que são espirituais, mas não são (Ap 3.17). A verdadeira religião está centrada na Palavra de Deus. Quais são as evidências de um crente verdadeiro?

[28] WIERSBE, Warren. *The Bible Expository Commentary*. Vol. 2, p. 345.

O crente verdadeiro tem sua vida centrada na Palavra de Deus (Tg 1.18,21,22-25)

Tiago enfatiza três verdades vitais aqui.

Em primeiro lugar, *o verdadeiro crente nasce da Palavra de Deus* (1.18). A Palavra de Deus é a divina semente. Quando ela é aplicada em nosso coração pelo Espírito Santo, acontece o milagre do novo nascimento. Nascemos, assim, de cima, de Deus, do Espírito. Recebemos, portanto, uma nova natureza, uma nova vida.

Em segundo lugar, *o verdadeiro crente acolhe a Palavra* (1.21). Há uma preparação própria para receber a Palavra: "Pelo que, despojando-vos de toda sorte de imundícia e de todo vestígio do mal...". A Palavra de Deus é comparada a uma semente, e o coração do homem, a um solo. Antes de lançarmos a semente precisamos preparar a terra. Jesus falou de quatro tipos de solo: o solo endurecido, o superficial, o congestionado e o frutífero (Mt 13.1-23). Antes de acolhermos a Palavra, precisamos remover a erva daninha da impureza e da maldade. Também é requerida uma atitude correta para receber a Palavra: "... recebei com mansidão a palavra em vós implantada...". A mansidão é o oposto da ira (1.19). É necessário adubar o terreno para que a semente frutifique. A Palavra deve ter raízes profundas em nossa vida. Aceitamos de bom grado a transformação que Deus opera em nós através da Palavra. Tiago fala ainda acerca do resultado da recepção da Palavra: "... a qual é poderosa para salvar as vossas almas". Quando nascemos da Palavra, ouvimos a Palavra, recebemos a Palavra e praticamos a Palavra, podemos ter garantia da salvação.[29]

---

[29] MOTYER, J. A. *The Message of James*, p. 66.

Em terceiro lugar, *o verdadeiro crente pratica a Palavra* (1.22-25). Não basta ouvir ou ler a Palavra, é preciso praticá-la. Não basta apenas o conhecimento da verdade, é necessário também a prática da verdade. Muitos crentes marcam sua Bíblia, mas a Bíblia não os marca.[30] Há grandes benefícios em se praticar a Palavra.

Primeiro, quem pratica a Palavra *conhece a si mesmo* (1.23,24). A Palavra aqui é comparada não com a *semente*, mas com o *espelho*. O principal propósito do espelho é o auto-exame. Quando você olha para dentro da Palavra e compreende o que ela diz, você conhece a você mesmo: seus pecados, suas necessidades, seus deveres e suas recompensas. Ninguém olha no espelho e logo vai embora sem fazer nada. Você olha no espelho para saber se já penteou o cabelo, se já lavou o rosto ou se a roupa está bem passada. Você olha no espelho para ver as coisas como elas são. Quando você olha no espelho, você descobre que tipo de pessoa você é e como você está.

Há alguns perigos quanto ao espelho que precisamos evitar: devemos evitar olhar apenas de relance no espelho. Muitas pessoas não estudam a si mesmas quando lêem a Bíblia. Muitas pessoas lêem a Bíblia todo dia, mas não são lidas por ela, não a observam. Muitos lêem por um desencargo de consciência, mas não se afligem por não colocar sua mensagem em prática. Há sempre o perigo de você se ver no espelho e não fazer nada a respeito. Leia esta história:

> Conta-se a história de um homem idoso, bastante míope, que tinha grande orgulho em atuar como crítico de arte. Um dia, ele visitou um museu com alguns amigos e, imediatamente,

---

[30] WIERSBE, Warren. *The Bible Expository Commentary*. Vol. 2, p. 347.

> começou a fazer suas críticas sobre vários quadros. Parando diante de um quadro de corpo inteiro, começou a dar a sua opinião. Ele havia deixado seus óculos em casa e não podia ver a pintura com clareza. Com ar de superioridade, ele comentou: 'A constituição física desse modelo está simplesmente em desacordo com a pintura. O sujeito (um homem) é bastante rústico e está miseravelmente vestido. De fato, ele é repulsivo, e foi um grande erro para o artista selecionar esse modelo de segunda classe para pintar o seu retrato'. O velho camarada foi seguindo em seu caminho, quando sua esposa o puxou para o lado e sussurrou em seu ouvido: 'Querido, você estava se olhando no espelho'.[31]

Devemos tomar cuidado para não esquecermos o que vemos no espelho. Muitas vezes lemos a Bíblia tão distraidamente que nem conseguimos ver quem nós somos, como está a nossa aparência. Não temos convicção de pecado. Não sentimos sede de Deus. Não falamos como Isaías: "Ai de mim!". Não falamos como Pedro: "Senhor, aparta-te de mim, porque eu sou um pecador". Não falamos como Jó: "Eu me abomino no pó e na cinza".

Devemos nos acautelar para não fracassarmos em fazer o que o espelho mostra. Não basta ler a Bíblia, é preciso praticá-la. Não basta falar, é preciso fazer.[32] Reunimo-nos muito para conhecer e pouco para praticar. Gastamos os assentos dos bancos e pouco as solas dos sapatos.

Segundo, quem pratica a Palavra *torna-se verdadeiramente livre* (1.25). Por que Tiago chama a lei de Deus de "lei perfeita, lei da liberdade?" É porque quando a obedecemos, Deus nos liberta. Aquele que comete pecado é escravo

---

[31] BOSCH, Henry G. e DEHAAN, M. R. *Our Daily Bread*. Grand Rapids, Michigan: Zondervan Publishing House, 1982, 29 de julho.

[32] WIERSBE, Warren. *The Bible Expository Commentary*. Vol. 2, p. 347.

do pecado (Jo 8.34). Disse Jesus: "Se vós permanecerdes na minha palavra, verdadeiramente sois meus discípulos; e conhecereis a verdade, e a verdade vos libertará" (Jo 8.31,32). Deus não deu a Sua lei como meio de salvação, mas a deu como um estilo de vida para os salvos, aqueles que haviam sido redimidos (Êx 20.2).

Terceiro, quem pratica a Palavra *torna-se bem-aventurado no que realizar* (1.25). Ouvir a palavra sem praticá-la é enganar-se a si mesmo. É como se olhar no espelho, ver a roupa suja e não fazer nada. Ouvir a Palavra e não praticá-la é ter uma falsa religião. O fim é o engano, é a tragédia. Mas, quem obedece à Palavra é bem-sucedido em tudo quanto faz (Js 1.6-8).

O crente verdadeiro tem relacionamentos governados pela Palavra (Tg 1.19,20)

A comunicação é a chave para um relacionamento saudável. Dependendo da maneira como nos comunicamos, podemos dar vida ou matar um relacionamento. No século da comunicação virtual, estamos cada vez mais próximos das máquinas e mais distantes das pessoas. O verdadeiro crente deve saber se controlar tanto verbal quanto emocionalmente. Deve saber lidar com a palavra e também com a ira. Analisaremos o conselho de Tiago:

Em primeiro lugar, *ele deve ser pronto para ouvir* (1.19). O termo "pronto", no grego, é *táxys*, de onde vem nossa palavra táxi (rápido). O táxi é um carro de serviço. Ele deve estar sempre disponível. Seu objetivo é atender o cliente, sempre. Se vamos usar um táxi, é porque temos pressa. Não podemos esperar.

Assim ocorre também com a comunicação. Devemos ter rapidez para ouvir. Zenão, o pensador antigo, dizia: "Temos dois ouvidos, mas apenas uma boca; assim podemos escutar mais e falar menos".[33] Temos de considerar ainda que nossos ouvidos são externos, mas nossa língua está amuralhada de dentes. É preciso que estejamos prontos para ouvir a voz de Deus, a voz da consciência, a voz de nosso próximo. Hoje estamos perdendo o interesse em ouvir, e o resultado disso é a família em desarmonia, é a sociedade fragmentada. Se nós estivéssemos prontos para ouvir, com a mesma disposição que estamos prontos a falar, certamente haveria menos ira e mais encontros abençoadores e saudáveis entre nós.[34]

As pessoas procuram os divãs dos psicanalistas porque sentem necessidade de falar. Não conseguimos armazenar no peito as pressões e decepções sem abrir o coração com alguém. Falar é uma necessidade básica, e ouvir é uma responsabilidade vital para aqueles que desejam construir relacionamentos saudáveis e maduros. Dale Carnegie diz que aprender a ouvir as pessoas é uma das maneiras mais eficazes de se fazer amigos. Todos gostam e precisam falar de si mesmos. Temos de ouvir com os ouvidos, com os olhos e com o coração. Precisamos disponibilizar tempo e atenção para os outros. As pessoas são mais importantes que as coisas. Devemos adorar a Deus, amar as pessoas e usar as coisas. Essa é a regra de ouro na comunicação interpessoal. Hoje, estamos substituindo relacionamentos por coisas. Os pais já não têm mais tempo para os filhos. Eles estão muito ocupados e não podem mais ajudar os filhos nos deveres da escola, nem ouvir o que os filhos têm a dizer sobre suas fantasias de criança ou suas angústias da adolescência. Os filhos parecem não ter com os pais

---

[33] Life Application Bible Commentary. *James*. Tyndale House Publishers. Wheaton, Illinois, 1992, p. 30.

[34] TUCK, Robert. *The Preacher's Homiletic Commentary – James*, p. 522.

o mesmo crédito que têm os amigos, o trabalho, o telefone. O diálogo está morrendo entre marido e mulher. Os casamentos estão acabando, o índice de divórcio está crescendo espantosamente, porque os cônjuges estão correndo atrás do urgente e deixando o que é importante de lado; estão valorizando coisas e não relacionamentos; estão substituindo pessoas por coisas.

Em segundo lugar, *ele deve ser tardio para falar* (1.19). Precisamos estar atentos sobre o que falamos, como falamos, quando falamos, com quem falamos e por que falamos. John MacArhur Jr comenta sobre essa questão do muito falar:

> É estimado que, em média, as pessoas falam 18.000 palavras em um dia, o suficiente para preencher 54 páginas de um livro. Em um ano, esse montante será suficiente para preencher 66 volumes de 800 páginas!... Assim, em média, as pessoas passam um quinto de seu tempo de vida falando.[35]

A palavra "tardio", no grego, é *brádys*. Essa palavra dá a idéia de uma pessoa que tem dificuldades intelectuais para compreender logo de início o que lhe foi dito; e necessita, portanto, de tempo para reflexão. O que Tiago quer dizer é que devemos refletir primeiro, e não falar de imediato. É preciso saber a hora de falar e também o que falar. O que temos a dizer é verdadeiro? É oportuno? Edifica? Transmite graça aos que ouvem?

Geralmente falamos antes de pensar, de ouvir, de orar, de medir as conseqüências. Devemos ter muito cuidado com isso, pois: "A morte e a vida estão no poder da língua..." (Pv 18.21). As palavras podem dar vida ou matar.

[35] MACARTHUR, John Jr. *The MacArthur New Testament Commentary – James*. Chicago: Moody Press, 1998, p. 88.

Há um provérbio inglês que diz: "Tu és senhor da palavra não dita; a palavra dita é teu senhor". Por isso, Davi orava a Deus e pedia: "Põe, ó Senhor, uma guarda à minha boca; vigia a porta dos meus lábios!" (Sl 141.3). Sócrates dizia que precisamos sempre passar nossas palavras por três peneiras: é verdade?; é com a pessoa certa?; é oportuno?

Em terceiro lugar, *ele deve ser tardio para irar-se* (1.19). Novamente encontramos o termo *brádys*. Tiago está dizendo que a ira deve ser tratada com reflexos lentos. A maior demonstração de força está no autodomínio, e não no domínio sobre os outros. "Melhor é o longânimo do que o valente, e o que domina o seu espírito do que o que toma uma cidade" (Pv 16.32). Em geral, a ira humana é desgovernada, destruidora e pecaminosa. É obra da carne, e não opera a justiça de Deus.

Há dois perigos com respeito à ira: primeiro, a explosão da ira, ou seja, o temperamento indisciplinado. Segundo, a implosão da ira, ou seja, o temperamento encavernado. Uns atacam e quebram tudo à sua volta quando estão irados. Outros guardam a ira e levam-na para o seu interior. Mas essa fera enjaulada destrói tudo por dentro: a saúde, a paz e a comunicação com Deus e com o próximo.

Precisamos aprender a lidar com nossos sentimentos. Um indivíduo temperamental provoca grandes transtornos na família, no trabalho, na igreja e na sociedade. Muitas pessoas tentam encobrir seus pecados dizendo que são sinceras, que não levam desaforo para casa e que, depois de explodirem, tudo volta à normalidade. O problema é que, na explosão da ira, elas jogam estilhaços para todos os lados. Alguém que não tem domínio próprio fere e machuca quem está ao seu redor. Por outro lado, o congelamento da ira é um mal terrível. Há muitos que ficam como um vulcão em efervescência. Estão em aparente calma, mas as lavas incandescentes lhes queimam por dentro. A mágoa produz grandes transtornos. Onde ela prevalece, reina a doença, e Satanás acaba levando vantagem (2Co 2.11).

O crente verdadeiro tem suas ações religiosas dirigidas pela Palavra (Tg 1.26,27)

A religião pura e verdadeira vai muito além de doutrinas e ritos. Envolve prática, ação. Em seu livro intitulado *A Velhice*, o grande orador Cícero conta que um velho ateniense, entrando no teatro lotado, não encontrou ninguém que lhe cedesse o lugar. Quando, porém, se aproximava da bancada especial, em que se achavam os embaixadores da Lacedemônia, estes se levantaram e deram lugar ao velho, no meio deles. Toda a assembléia, então, se levantou e aplaudiu o gesto desses embaixadores.

É sempre assim, não falta quem reconheça o valor das ações nobres e se disponha a aplaudi-las. No entanto, entre aplaudir e praticar existe uma enorme diferença.

Hoje há um grande abismo entre o que professamos e o que vivemos; entre o que dizemos e o que fazemos; entre a nossa profissão de fé e a nossa prática de vida; entre o cristianismo teórico e o cristianismo prático. Esse distanciamento entre verdades inseparáveis, essa falta de consistência e coerência, dá à luz uma religião esquizofrênica e farisaica.

Tiago, homem de mente lógica e de espírito prático, toca, sem subterfúgios, o ponto nevrálgico do problema e aponta o sério risco de se viver uma religião descomprometida, mística, etérea, teórica, descontextualizada, sem praticidade e sem pertinência histórica. Tiago diz que não basta o ritual bonito, a liturgia pomposa, a exterioridade irretocável. É preciso celebrar a liturgia da vida. Para tanto, ele coloca o prumo de Deus em nós e questiona-nos: somos verdadeiros religiosos ou não? Como saber se somos? Aqui Tiago menciona dois aspectos negativos e um positivo.

Em primeiro lugar, *ele tem controle da sua língua* (1.26). Tiago alerta para o perigo de um temperamento doente e explosivo e de uma língua solta (1.19,26). Jesus disse que a pessoa que nutre raiva, cujo sentimento desemboca em ofensa ao próximo, é passível do fogo do inferno (Mt 5.22). Jesus disse: "Digo-vos, pois, que de toda palavra fútil que os homens disserem, hão de dar conta no dia do juízo. Porque pelas tuas palavras serás justificado, e pelas tuas palavras serás condenado" (Mt 12.36,37). Tiago compara a língua com um cavalo fogoso sem freios, com um navio sem leme que pode espatifar-se nas rochas, com uma fagulha que incendeia uma floresta, com uma fonte contaminada, com uma árvore que produz frutos venenosos, com um mundo de iniqüidade ou com uma fera indomável. Jesus disse que é a língua que revela o coração (Mt 12.34-35). Uma língua controlada significa um corpo controlado (3.1), mas uma língua desgovernada provoca grandes tragédias. A maledicência é o pecado que Deus mais abomina (Pv 6.19). A palavra irrefletida, a conversa torpe, a mentira leviana, as acusações maldosas, as orquestrações urdidas na calada da noite para destruir a dignidade das pessoas são provas incontestáveis do grande poder destruidor da língua.

Se a língua é peçonhenta, má, afiada, ferina, suja e descaridosa, a religião então é oca, vazia, nula. Não podemos glorificar a Deus com a nossa língua e, ao mesmo tempo, destruir a vida de nosso próximo com ela. A língua não pode ser uma fonte amarga e doce ao mesmo tempo; um canal de vida e também um instrumento de morte. A Bíblia diz que a boca fala daquilo que o coração está cheio. A língua funciona como aferidora do coração. Ela é como uma radiografia que revela o que está em nosso interior. Não há coração puro se a língua é impura. Não há língua santa se o coração é um poço de sujeira. Não há cristianismo verdadeiro sem santidade da língua. Se o coração estiver certo, a língua mostrará isso.[36]

Em segundo lugar, *ele tem vida santa* (Tg 1.27b). A religião verdadeira não é um simples ritual, não é misticismo ou encenação, mas é ter uma vida separada para Deus. É guardar-se incontaminado do mundo, ou seja, do sistema de valores pervertidos, corruptos, sujos, imorais e inconseqüentes. Esses desbastam os valores de Deus, corroem os absolutos da Palavra e instauram o relativismo, o conformismo, o imediatismo e o hedonismo que levam ao comprometimento com o pecado.

Ser religioso autêntico é inconformar-se com os conformismos do mundo, para conformar-se com os inconformismos de Deus. A religião que agrada ao Senhor é rechaçar o mal ainda que mascarado de bem. O mundo é atraente. Ele arma um cenário encantador para nos atrair. Contudo, o mundo jaz no maligno. James Boyce, corretamente afirma:

> Nós vivemos, como Tiago, em uma época caracterizada por imundície moral. O perigo da contaminação pelo mundo por meio de suas diversões, revistas, livros e a vida do dia-a-dia, é algo que nós conhecemos muito bem. Tiago está dizendo que devemos nos manter livres de tudo isso e que não devemos ser contaminados com tais coisas.[37]

[36] MOTYER, J. A. *The Message of James*, p. 76.
[37] BOYCE, James Montgomery. *Creio sim, mas e daí?* p. 32.

Não podemos amar o mundo nem ser amigos dele. Não podemos nos conformar com o mundo para não sermos condenados com ele. A Bíblia fala que Demas amou o presente século, o mundo, e abandonou sua fé (2Tm 4.10).

Fomos tirados do mundo e separados para Deus. Somos enviados de volta ao mundo, não para o imitarmos, não para cobiçarmos as coisas más que há nele, mas para sermos luzeiros. Estamos fisicamente no mundo, mas não espiritualmente nele (Jo 17.11-16). Não somos tirados do mundo, mas guardados do mal. Não somos do mundo, mas estamos no mundo. Estamos nele não para que ele nos contamine, mas para sermos nele instrumentos de transformação.

No mundo somos embaixadores de Deus, somos ministros da reconciliação; somos sal, luz e perfume de Cristo.

Em terceiro lugar, *ele tem compaixão dos necessitados* (Tg 1.27). Tiago não está enfocando a questão doutrinária, mas um assunto de prática cristã. O conteúdo da fé é a morte expiatória de Cristo e Sua ressurreição gloriosa. O cuidado dos necessitados não é o conteúdo do cristianismo, mas sua expressão. A preocupação prática da religião de uma pessoa é o cuidado pelos outros.[38] A religião é a prática da fé. É a fé em ação. Seremos julgados com base nesse aspecto prático da religião (Mt 25.34-46). Quando nos olhamos no espelho da Palavra, nós vemos a Deus, a nós mesmos e, também, o nosso próximo (Is 6.3-8). Palavras não substituem obras (2.14-18; 1Jo 3.11-18).

Visitar os órfãos e as viúvas nas suas aflições não é apenas cortesia pietista. Não é um desencargo de consciência. Trata-se de socorro, de envolvimento, de empatia, de compaixão manifestada na ajuda concreta e no suprimento das necessidades reais daqueles que carecem e sofrem.

---

[38] BOYCE, James Montgomery. *Creio sim, mas e daí?* p. 33.

Constatamos, portanto, que o verdadeiro religioso não é egocêntrico, não é narcisista, não vive só para si, não vive recuado só no seu mundo, só olhando para si. Ele sai do casulo, da caverna da omissão. Ele se levanta da poltrona da indiferença. Ele age. Tem mãos abertas, coração dadivoso e bolso generoso. Não é dado à verborragia, mas à ação. Não ama apenas de palavra, mas de coração. Abomina o sentimentalismo inócuo. Usa a razão, e por isso dá pão a quem tem fome. Ele celebra a liturgia da generosidade e evidencia a verdadeira religião.

No dia do juízo, teremos de prestar conta de nossa vida. Seremos julgados segundo nossas obras. Dar pão a quem tem fome, distribuir roupa para quem está nu, visitar os enfermos e os presos e abrigar os forasteiros são atos concretos de amor que Jesus espera e cobrará de nós. Deixar de fazer essas coisas aos homens é deixar de fazê-las ao próprio Senhor Jesus. Cristianismo, portanto, é ver Cristo na face de nosso próximo; é servir a este como se o fizéssemos ao próprio Senhor Jesus.

Aquele que professa a verdadeira religião possui três benefícios gloriosos: primeiro, aceitação de Deus (1.27). Somos aceitos por Deus em Cristo para a salvação. Mas quando exercemos a nossa fé em obediência à Palavra, o nosso serviço é aceito por Deus como aroma suave (Fp 4.18). Quando Tiago diz que há uma religião pura e sem mácula aceitável diante de Deus, significa dizer que há uma religião que não é aceitável para Deus. Qual é ela? É aquela apenas de palavras, de uma fé que não tem obras. Segundo, bênção pessoal (1.25): "... este será bem-aventurado no que fizer". Você quer que Deus o abençoe? Então, leia a Palavra, descubra o que ela diz e viva de acordo com a Palavra. Terceiro, bênção para outras pessoas (1.27).

Tornamo-nos instrumentos de Deus para aliviar o sofrimento das pessoas necessitadas. Seremos, então, o sal da terra e a luz do mundo.

Capítulo 4

Como saber se minha fé é verdadeira ou falsa

(Tiago 2.1-26)

O CAPÍTULO 2 DA CARTA DE TIAGO é um dos textos mais importantes da Bíblia. Muitos estudiosos não conseguiram entendê-lo. Lutero pensou que Tiago estivesse contradizendo Paulo (Rm 3.28 – Tg 2.24; Rm 4.2-3 – Tg 2.21). Logo, Lutero chamou Tiago de carta de palha[39] e sentiu que a carta de Tiago não tinha o peso do Evangelho.[40]

Mas será que Tiago está contradizendo Paulo? Absolutamente não. Eles se complementam.[41] Paulo falou que a causa da salvação é a justificação pela fé somente. Tiago diz que a evidência da

---

[39] GIBSON, E. C. S. *The Pulpit Commentary – James. Vol. 21.* Grand Rapids, Michigan: Eerdmans Publishing Company, 1978, p. 38.

[40] BOYCE, James Montgomery. *Creio sim, mas e daí?* p. 55.

[41] BOYCE, James Montgomery. *Creio sim, mas e daí?* p. 57.

salvação são as obras da fé. Paulo olha para a causa da salvação e fala da fé. Tiago olha para a conseqüência da salvação e fala das obras. Paulo deixa isso claro: "Porque pela graça sois salvos, por meio da fé; e isto não vem de vós, é dom de Deus; não vem das obras, para que ninguém se glorie. Porque somos feitura sua, criados em Cristo Jesus para boas obras, as quais Deus antes preparou para que andássemos nelas" (Ef 2.8-10).

Calvino diz que a salvação é só pela fé, mas a fé salvadora não vem só. Ela se evidencia pelas obras. A questão levantada por Paulo era: "Como a salvação é recebida?" A resposta é: "Pela fé somente". A pergunta de Tiago era: "Como essa fé verdadeira é reconhecida?" A resposta é: "Pelas obras!" Assim, Tiago e Paulo não estão se contradizendo, mas se completando. Somos justificados diante de Deus pela fé, somos justificados diante dos homens pelas obras. Deus pode ver a nossa fé, mas os homens só podem ver as nossas obras.

A fé testada (Tg 2.1-13)

Tiago falou que nascemos da Palavra (1.18), ouvimos a Palavra (1.19), acolhemos a Palavra (1.21), mas devemos também praticar a Palavra (1.23). Ouvir a Palavra e falar a Palavra não substitui o praticar a Palavra. Apenas ter uma confissão de fé ortodoxa não substitui o praticar a Palavra.

Tiago mostra que a maneira como nos comportamos com as pessoas indica o que realmente nós cremos sobre Deus. Não podemos separar relacionamento humano de comunhão divina (1Jo 4.20). Nesse parágrafo, Tiago diz que nós podemos testar nossa fé pela maneira como nós tratamos as pessoas.

Tiago diz que a fé verdadeira é conhecida pelo relacionamento imparcial com as pessoas (2.1-4). Favoritismo e acepção de pessoas não são atitudes de um cristão.[42] Dois visitantes entram na igreja: um rico e outro pobre. Oferecer maiores privilégios ao rico e desprezar o pobre é negar a nossa fé no Senhor da glória. Jesus não valorizava as pessoas pela cor da pele, pela beleza das roupas, ou pelo dinheiro. Jesus não julgava as pessoas pela aparência (Mt 22.16). Ele, sendo o Senhor da glória, se fez pobre e não julgou as pessoas pela aparência. Jesus acolheu os ricos e os pobres; os religiosos e os publicanos; os doentes e as crianças; os israelitas e os gentios. Sua Palavra orienta a não julgarmos as pessoas pela aparência (Jo 7.24). Abraham Lincoln disse certa feita: "Deus deve amar as pessoas simples, porque ele fez muitas delas".[43]

A ênfase de Tiago agora é sobre a soberana escolha de Deus (2.5-7). A salvação não está baseada em mérito humano nem mesmo em nossas obras. A salvação não é comprada nem merecida (Ef 1.4-7; 2.8-10). Deus ignora diferenças nacionais (salvou Cornélio). Ele ignora diferenças sociais (salva senhores e escravos: Filemom e Onésimo). A escolha divina não está baseada no que a pessoa tem (1Co 1.26,27). É possível uma pessoa ser pobre neste mundo e rica no vindouro. Ser rica neste mundo e pobre no vindouro (1Tm 6.17,18). Devemos tratar as pessoas como Deus as trata, e não de acordo com o seu *status* social.

A essência da lei de Deus é o amor ao próximo como a nós mesmos (2.8-11). A questão não é quem é o meu próximo, mas para quem eu posso ser o próximo?[44] O amor

---

[42] Lv 19.15; Dt 1.17; Pv 24.13; 28.21; Mt 22.16.

[43] BARCLAY, William. *The Letter of James and Peter*. Philadelphia: The Westminster Press, 1976, p. 66.

[44] WIERSBE, Warren. *The Bible Expository Commentary. Vol. 2*, p. 352.

é o cumprimento de toda a lei. Amar é tratar as pessoas como Deus nos trata. O sacerdote e o levita tinham uma fé ortodoxa. Eles serviam no templo. Mas eles falharam em viver a fé amando o próximo. A fé era ortodoxa, mas estava morta (Lc 10.31,32). Quem não ama é transgressor da lei. E se tropeçarmos em um único ponto, somos culpados da lei inteira (2.10).

Nossa fé será finalmente provada no dia do juízo (2.12,13). E o que será julgado? Primeiro, nossas palavras: palavras de acepção (2.3), palavras de desprezo (2.6), palavras frívolas (Mt 12.36). Segundo, nossas atitudes também serão julgadas. Quando não usamos de misericórdia com as pessoas, estamos negando nossa fé e atraindo sobre nossa cabeça o juízo de Deus (2.13). Precisamos estar seguros de que praticamos as doutrinas que defendemos. O profeta Jonas tinha uma maravilhosa teologia, mas ele odiou as pessoas e estava irado com Deus (Jn 4.1-11). Sua vida não estava de acordo com sua fé, sua ortodoxia estava em desarmonia com sua conduta.

A fé morta (Tg 2.14-17)

A fé é uma doutrina chave no cristianismo. O pecador é salvo pela fé (Ef 2.8,9), o justo vive pela fé (Rm 1.17). Sem fé é impossível agradar a Deus (Hb 11.6). Tudo o que é feito sem fé é pecado (Rm 14.23).[45]

Em Hebreus 11 encontramos a galeria da fé, em que homens e mulheres creram em Deus, viveram e morreram pela fé. Fé é a confiança de que a Palavra de Deus é verdadeira, não importam as circunstâncias.

---

[45] WIERSBE, Warren. *The Bible Expository Commentary*. Vol. 2, p. 353.

Qual é o tipo de fé que salva uma pessoa? Nem todas as pessoas que dizem crer em Jesus estão salvas (Mt 7.21). Quais são as características de uma fé morta?

Em primeiro lugar, *é uma fé que não desemboca em vida santa.* A fé morta está divorciada da prática da piedade. Há um hiato, um abismo entre o que a pessoa professa e o que a pessoa vive. Ela crê na verdade, mas não é transformada por essa verdade. A verdade chegou a sua mente, mas não desceu a seu coração. É um erro pensar que apenas recitar ou defender um credo ortodoxo faz de uma pessoa um cristão. Assentimento intelectual, apenas, não é fé salvadora. A fé que não produz vida, que não gera transformação, é uma fé espúria (Mt 7.21).

Certo pastor, ao ser confrontado em razão de seu adultério, respondeu: "E daí se eu estou cometendo adultério? Eu prego melhores sermões do que antes". Esse homem estava dizendo que enquanto ele acreditasse e pregasse doutrinas ortodoxas, não importava a vida que ele levava.[46] Mas Tiago ataca esse tipo de pensamento.

As igrejas estão cheias de pessoas que dizem que crêem, mas não vivem o que crêem. Isso é fé morta.

Em segundo lugar, *é uma fé meramente intelectual.* A pessoa consente com certas verdades, mas não é transformada por elas.[47] No versículo 14, Tiago pergunta: "Pode, acaso, semelhante fé salvá-lo?" Quando Tiago usa a palavra *semelhante,* ele está falando de um certo tipo de fé, ou seja, a fé apenas verbal em oposição à fé verdadeira. Ainda no versículo 14, ele pergunta: "Que proveito há, meus irmãos, se alguém disser que tem fé e não tiver obras?"

[46] BOYCE, James Montgomery. *Creio sim, mas e daí?* p. 56.
[47] BOYCE, James Montgomery. *Creio sim, mas e daí?* p. 59.

A fé aqui descrita existe apenas na base da pretensão.[48] A pessoa diz que tem fé, mas na verdade não tem.

As pessoas com uma fé morta substituem obras por palavras.[49] Elas conhecem as doutrinas, mas elas não praticam a doutrina. Elas têm discurso, mas não têm vida. A fé está apenas na mente, mas não na ponta dos dedos.

Em terceiro lugar, *é uma fé que não produz frutos dignos de arrependimento.* Essa fé é ineficiente, inoperante e não produz nenhum resultado. Ela tem sentimento, mas não ação. Tiago dá dois exemplos para ilustrar a fé morta (2.15,16). Um crente vem para a igreja sem roupas próprias e sem comida. Uma pessoa com uma fé morta vê essa situação e não faz nada para resolver o problema do irmão necessitado. Tudo o que ele faz é falar algumas palavras piedosas (2.16).

Comida e roupa são necessidades básicas (1Tm 6.8; Gn 28.20). Como crentes, devemos ajudar a todos e, principalmente, aos que professam a mesma fé (Gl 6.10). Seremos julgados por esse critério (Mt 25.40). Deixar de ajudar o necessitado é fechar o coração ao amor de Deus (1Jo 3.17,18). O sacerdote e o levita podiam pregar sobre sua fé, mas não demonstraram a sua fé (Lc 10.31,32). João Calvino diz: "Só a fé justifica, mas a fé que justifica jamais vem só".

Em quarto lugar, *é uma fé sem nenhum valor.* Ela é inútil. A fé sem obras é inoperante (2.20). Se, de forma geral a fé é inútil, ela também o é no caso da salvação![50]

Em quinto lugar, *é uma fé incompleta.* Tiago diz que a fé sem as obras está incompleta (2.22), visto que são as obras que consumam a fé. As obras são a evidência da fé.

[48] BOYCE, James Montgomery. *Creio sim, mas e daí?* p. 59.
[49] WIERSBE, Warren. *The Bible Expository Commentary.* Vol. 2, p. 354.
[50] BOYCE, James Montgomery. *Creio sim, mas e daí?* p. 60.

Somos salvos pela fé para as obras (Ef 2.8-10). Se não tem obras, não tem fé!

Em último lugar, *é uma fé morta*. Tiago é claro em afirmar que a fé sem as obras está morta (2.17; 2.26), e uma fé morta não salva ninguém. Essa fé intelectual, inútil, incompleta e morta não salva ninguém. Ortodoxia sem piedade produz morte. James Boyce diz que não podemos ser cristãos e, ao mesmo tempo, ignorar as necessidades dos outros. Devemos reconhecer que, se há alguém com fome e nós temos os meios para socorrê-lo, não somos cristãos de verdade se não ajudarmos essa pessoa. Não podemos ser indiferentes às necessidades do próximo e ainda professar que somos cristãos.[51]

A fé dos demônios (Tg 2.19)

A fé morta é uma fé que atinge apenas o intelecto. A fé dos demônios atinge o intelecto e também as emoções. Os demônios têm um estágio mais avançado de fé que muitos crentes. A fé dos demônios não é apenas intelectual, mas também emocional. Eles crêem e tremem!

Crer e tremer não é uma experiência salvadora. Você não conhece uma pessoa salva pelo conhecimento que adquire nem pelas emoções que demonstra, mas pela vida que vive (Tg 2.18).

No que os demônios crêem? Warren Wiersbe responde a essa pergunta, dizendo:[52] em primeiro lugar, *os demônios crêem que Deus é um só*. Os demônios crêem na existência de Deus. Eles não são nem ateístas nem agnósticos. Eles crêem na "shemma" judaica: "Ouve ó Israel, o Senhor nosso

---

[51] BOYCE, James Montgomery. *Creio sim, mas e daí?* p. 61.

[52] WIERSBE, Warren. *The Bible Expository Commentary. Vol. 2*, p. 355.

Deus é o único Senhor". Mas essa crença dos demônios não pode salvá-los.

Em segundo lugar, *os demônios crêem na divindade de Cristo.* Os demônios corriam para ajoelhar-se diante de Cristo para adorá-lo (Mc 3.11,12). Eles sabiam quem era Jesus. Eles se prostravam aos pés do Senhor Jesus.

Em terceiro lugar, *os demônios crêem na existência de um lugar de penalidades eternas.* Eles sabem que o inferno foi criado para o diabo e seus anjos. Eles sabem que o inferno é destinado para todos aqueles cujos nomes não forem encontrados no Livro da Vida. Eles não negam a existência do inferno (Lc 8.31). Eles crêem nas penalidades eternas.

Em quarto lugar, *os demônios crêem que Cristo é o supremo Juiz que os julgará.* Os demônios sabem que terão de comparecer diante de Cristo, o supremo juiz. Eles crêem no julgamento final. Eles crêem que todo joelho se dobrará diante de Cristo. Entretanto, os demônios estão perdidos, eternamente perdidos. Uma fé meramente intelectual e emocional coloca-nos apenas no patamar dos demônios.

A fé salvadora (Tg 2.20-26)

A fé salvadora pode ser sintetizada em três palavras: *notitia* (conteúdo), *assensus* (concordância), *fiducia* (confiança): conteúdo, concordância e confiança.[53] A fé verdadeira inclui o intelecto, as emoções e a vontade. O conteúdo da fé é a verdade de Deus. Eu recebo essa verdade e confio nela e por ela sou transformado.

Como Tiago descreve a fé verdadeira? Warren Wiersbe responde a esta questão oferecendo vários pontos.[54]

---

[53] BOYCE, James Montgomery. *Creio sim, mas e daí?* p. 62,63.

[54] WIERSBE, Warren. *The Bible Expository Commentary.* Vol. 2, p. 355.

Em primeiro lugar, *a fé salvadora está baseada na Palavra de Deus.* James Boyce diz que o primeiro elemento da fé salvadora é o conteúdo intelectual expresso como doutrinas básicas do cristianismo.[55] Tiago cita dois exemplos: Abraão e Raabe. Duas pessoas totalmente diferentes: Abraão, o amigo de Deus; Raabe, membro dos inimigos de Deus. Abraão, piedoso; Raabe, prostituta. Abraão, judeu; Raabe, gentia. O que tinham em comum? Ambos confiaram na Palavra de Deus. A questão não é a fé, mas o objeto da fé. Não é fé na fé. Não é fé nos ídolos. Não é fé nos ancestrais. Não é fé na confissão positiva. Não é fé nos méritos. É fé em Deus e em Sua Palavra. A fé está baseada em um conjunto de verdades. A fé está estribada em Deus e em Sua Palavra. Não é fé em subjetividades, mas fé na Palavra.

Em segundo lugar, *a fé salvadora envolve todo o ser humano.* A fé morta toca apenas o intelecto. A fé dos demônios toca o intelecto e também as emoções. Mas a fé salvadora atinge o intelecto, as emoções e também a vontade. A mente entende a verdade, o coração deseja a verdade, e a vontade age com base na verdade.

Em terceiro lugar, *a fé salvadora conduz à ação.* Tiago cita dois exemplos de fé que produziram ação: primeiro, o exemplo de Abraão. Gênesis 15.6 diz que Abraão creu e isso lhe foi imputado para justiça. Gênesis 22.1-19 mostra a obediência de Abraão ao oferecer o seu filho para Deus, crendo que Deus poderia ressuscitá-lo (Hb 11.19). Abraão não foi salvo por obedecer a esse difícil mandamento. Sua obediência provou que ele já era salvo. Abraão não foi salvo pela fé mais as obras, mas pela fé que produz obras.

---

[55] BOYCE, James Montgomery. *Creio sim, mas e daí?* p. 62.

Como, então, Abraão foi justificado pelas obras, uma vez que já tinha sido justificado pela fé (Gn 15.6; Rm 4.2,3)? Pela fé, ele foi justificado diante de Deus, e sua justiça foi declarada. Pelas obras, ele foi justificado diante dos homens, e sua justiça foi demonstrada. A fé do patriarca Abraão foi demonstrada por suas obras.

Segundo, o exemplo de Raabe. Ela creu e agiu. Ela ouviu a Palavra de Deus e reconheceu que estava em uma cidade condenada. Ela não somente entendeu a mensagem, mas seu coração foi tocado (Js 2.11), e assim fez alguma coisa: protegeu os espias (Hb 11.31). Ela arriscou sua própria vida para proteger os espias. Mais tarde ela fez parte do povo de Deus (Mt 1.5) e tornou-se membro da genealogia de Cristo. Isso é graça que opera a fé salvadora.

O apóstolo Paulo diz que do mesmo jeito que somos destinados para a salvação, somos também destinados para as boas obras. Se a ordenação é determinativa no caso da salvação, também o é no caso das boas obras. A salvação é só pela fé, mas por uma fé que não está só. Uma fé viva se expressa por obras, ou seja, uma vida que traz glória a Jesus.

Paulo ainda nos exorta a um auto-exame: "Examinai-vos a vós mesmos se permaneceis na fé; provai-vos a vós mesmos. Ou não sabeis quanto a vós mesmos, que Jesus Cristo está em vós? Se não é que já estais reprovados" (2Co 13.5). A fé salvadora precisa ser examinada: houve um tempo em que, sinceramente, reconheci meu pecado diante de Deus? Houve um tempo em que meu coração desejou fortemente fugir da ira vindoura? Houve um tempo em que compreendi que Cristo morreu pelos meus pecados e já confessei que não posso salvar-me a mim mesmo? Houve um tempo em que sinceramente eu me arrependi de meus pecados? Houve um tempo em que realmente depositei minha confiança no Senhor Jesus? Houve um tempo em que de fato houve mudança em minha vida? Desejo viver para a glória de Deus, pregar a salvação para os outros e ajudar os necessitados? Tenho prazer na intimidade com Deus? Se você pode responder a essas perguntas positivamente, então os sinais da fé verdadeira estão presentes na sua vida.

Capítulo 5

Como conhecer o poder da língua

(Tiago 3.1-12)

CERTAMENTE VOCÊ conhece o poder terapêutico da palavra.

Provavelmente você já viu coisas lindas acerca de pessoas que foram levantadas e curadas, refeitas e reanimadas por uma palavra boa. A palavra boa é como medicina, ela traz cura. Uma pessoa está abatida, triste, desanimada, aflita, sem sonhos, e, de repente, alguém chega com uma palavra oportuna, apropriada; e essa palavra, como bálsamo do céu, traz um novo ânimo e um novo alento.

Entretanto, nós também somos testemunhas de pessoas, famílias e comunidades, que são minadas e destruídas por palavras insensatas. Há palavras que ferem mais que uma espada afiada. A Bíblia relata um exemplo dramático a esse respeito. Saul estava louco, possesso de ódio por Davi, seu genro. Davi não apenas tinha sido escolhido por Deus em seu lugar, mas também tinha sido escolhido pelo povo, como o herói nacional. Ao ser ungido pelo profeta Samuel para ser rei sobre Israel, Davi começou a ter muitos problemas. Sua unção não o levou ao trono, mas à escola do sofrimento e do quebrantamento. Em vez de Davi pisar os tapetes aveludados do palácio, pisou as areias esbraseantes do deserto. Em vez de subir ao palco da fama, sob as luzes da ribalta, precisou esconder-se nas cavernas. Em vez de Davi andar pelas ruas, em um carro alegórico, sendo aplaudido pelas multidões em festa, ele precisa perambular pelo deserto, esconder-se nas cavernas, e buscar refúgio até mesmo fora do território de Israel para salvar sua vida da fúria de um rei louco. Em uma dessas andanças, fugindo de Saul, ele chega à cidade de Nobe, onde morava uma comunidade de sacerdotes. Davi e seus homens chegaram ali com fome. O sacerdote disse que não havia alimento para eles, senão o pão da proposição, aquele pão que era colocado na mesa da proposição todos os dias, como símbolo do alimento espiritual.

O sacerdote deu aquele pão para Davi. Este pegou a espada de Golias, que lá estava guardada, e saiu. Mas, ali estava um homem que ouviu toda a conversa entre Davi e o sacerdote. Esse homem chamava-se Doegue, um aliado de Saul. Este homem, de forma irresponsável, inconseqüente e demoníaca foi ter com Saul e distorceu os fatos, escamoteou a verdade, delatando o sacerdote, como se este estivesse mancomunado com Davi em um plano de conspiração.

Saul, envenenado pela mentira de Doegue, mandou chamar o sacerdote e responsabilizou-o por ter-se ajuntado com Davi para traí-lo. O sacerdote tentou se defender, revelando a veracidade dos fatos, mas Saul, contaminado por uma palavra torcida, diabólica, falsa, tendenciosa de Doegue, resolveu destruir o sacerdote e toda a comunidade de sacerdotes da cidade de Nobe. Saul deu uma ordem a seus homens para matar o sacerdote, bem como os outros oitenta e cinco sacerdotes. Os homens de Saul recusaram-se a cumprir a ordem insana. Então, Saul obrigou o próprio Doegue, o delator, a lançar-se contra os sacerdotes para matá-los. Doegue passou ao fio da espada os homens, as mulheres, as crianças, as crianças de peito e até aos animais (1Sm 2.1-9; 22.6-19). Foi uma chacina, por causa de uma palavra mal colocada, que delatara o sacerdote e alterara a notícia, dando uma conotação de traição e conspiração contra o rei.

Isso nos mostra como a língua pode ser um instrumento de bênção ou de destruição. Salomão, em Provérbios 6.16-19, elenca seis pecados que Deus aborrece e um pecado que a alma de Deus abomina. Dos sete pecados, três estão ligados ao pecado da língua: a língua mentirosa, a testemunha falsa que profere mentiras e o que semeia contendas entre irmãos.

Tiago chegou a dizer, nessa carta, que ninguém pode se dizer religioso sem primeiro refrear sua língua (1.27). Tiago está dizendo que podemos ter um conhecimento colossal das Escrituras, podemos ter um invejável cabedal teológico, mas se não dominamos a nossa língua, a nossa religião é vã. Para Tiago, para ser um cristão verdadeiro não basta apenas a teologia ortodoxa, é preciso também uma língua controlada.

Vamos observar algumas coisas importantes em Tiago 3.1-12.

Tiago diz que se você quer ser um líder e um mestre precisa tomar um grande cuidado (3.1). Não que seja ilegítimo aspirar à liderança, sobretudo se Deus lhe deu essa capacidade. Mas saiba de uma coisa, o mestre terá um juízo maior. Quanto mais conhecimento e experiência você tem, mais responsável você se torna diante de Deus e dos homens. O critério do juízo vai ser mais rigoroso. E aí Tiago começa a colocar a questão da língua num aspecto muito interessante, que é a questão do tropeço. Nós tropeçamos em muitas coisas, aquele que não tropeça no falar é perfeito varão, é capaz de manter o controle de todo seu corpo (3.2).

Obviamente todos nós já falhamos, já tropeçamos em nossa própria língua. Quantas vezes já ficamos envergonhados de falar aquilo que não deveríamos ter falado, na hora em que não deveríamos ter falado, com a pessoa que não deveríamos ter falado, com a intensidade e o volume da voz que não deveríamos ter usado. Uma palavra falada é como uma seta lançada, não tem jeito de retorná-la. É como um saco de penas soltas do alto de uma montanha, não podemos mais recolhê-las.

Tiago, então, diz que se você controla sua língua, você controla o seu corpo inteiro, você domina sua vida. Nós tropeçamos, e a Bíblia diz que é um laço para o homem o dizer precipitadamente, pois além dos estragos provocados na vida de outros e na nossa própria vida, ainda vamos dar conta no dia do juízo por todas as palavras frívolas que proferimos. Pelas nossas palavras seremos inocentados, ou pelas nossas palavras seremos condenados.

Tiago enumera para nós algumas figuras importantíssimas no trato dessa importantíssima matéria. Warren

Wiersbe diz que a língua tem o poder de dirigir, destruir e deleitar.[56]

A língua tem o poder de dirigir (Tg 3.3,4)

Nós podemos conduzir uma multidão pela maneira como falamos, tanto para o bem como para o mal. Martin Luther King foi um pastor batista, cujo pai e avô também tinham sido pastores. Sua liderança foi fundamental para o sucesso do movimento de igualdade de direitos civis entre negros e brancos nos Estados Unidos, nos idos de 1960. Enquanto exercia seu ministério em Montgomery, Alabama, relacionou-se com um grupo de militantes dos direitos civis e tornou-se conhecido ao liderar um movimento contra a segregação racial nos ônibus da cidade. Em agosto de 1963, a campanha anti-racista atingiu o auge, quando mais de 200.000 pessoas participaram de uma concentração diante do monumento de Lincoln, em Washington. Na ocasião, Luther King pronunciou seu famoso discurso "Eu tenho um sonho". Ele disse à multidão presente, bem como aos pósteros: "Eu tenho um sonho, de que um dia, em meu país, os meus filhos sejam julgados não pela cor da sua pele, mas pela dignidade de seu caráter". Em 1964, ano em que Martin Luther King ganhou o Prêmio Nobel da Paz, o governo americano sancionou a lei dos direitos civis, favorável às minorias raciais. Martin Luther King foi assassinado por um atirador branco em Memphis, no Tennessee, em 4 de abril de 1968.[57] Ele tombou como mártir da sua causa, mas deixou depois de si, um país melhor, mais justo e mais humano.

---

[56] WIERSBE, Warren. *The Bible Expository Commentary.* Vol. 2, p. 358-362.

[57] *Nova Enciclopédia Barsa. Vol. 8.* Enciclopédia Britânica do Brasil Publicações Ltda, 1998: p. 405,406.

Mas a língua também pode induzir as pessoas à prática do mal. Adolf Hitler era um orador que eletrizava as massas e conduzia multidões inteiras à loucura e às práticas estremamente cruéis e desumanas. Ele usou sua oratória para levar a Alemanha à guerra.[58] Suas idéias foram despejadas como ácido do inferno sobre a mente do povo alemão. Até hoje ficamos perplexos e atordoados ao vermos filmes como *O Holocausto*, *A Lista de Schindler* e *O Pianista*. Esses filmes retratam a realidade crua e perversa da destruição em massa do povo judeu nos campos de concentração nazistas.

A língua tem o poder de dirigir tanto para o bem como para o mal. Tiago usa duas figuras para mostrar o poder da língua: *o freio* e *o leme* (3.3,4). Para que serve um cavalo indomável e selvagem? Um animal indócil não pode ser útil, antes, é perigoso. Mas, se você coloca freio nesse cavalo, você o conduz para onde você quer. Através do freio a inclinação selvagem é subjugada, e ele se torna dócil e útil. Tiago diz que a língua é do mesmo jeito. Se você consegue controlar a sua língua, também conseguirá dominar os seus impulsos, a sua natureza e canalizar toda a sua vida para um fim proveitoso.

Tiago usa também a figura do leme. Um navio transatlântico é dirigido para lá ou para cá, pelo timoneiro, por meio de um pequeno leme. Imagine o que seria um navio sem o leme. Colocaria em risco a vida dos tripulantes, a vida dos passageiros e a carga que transporta. Isso seria um grande desastre. Sem leme, um navio seria um instrumento de morte, de naufrágio, de loucura. O leme, porém, pode conduzir esse grande transatlântico, fugindo dos rochedos, das rochas submersas e pode transportar em paz e segurança os passageiros, os tripulantes e a carga que nele está.

[58] BOYCE, James Montgomery. *Creio sim, mas e daí?* p. 70.

O que Tiago está dizendo é que se nós não controlarmos a nossa língua, nós seremos como um transatlântico sem leme e sem direção. Se não controlarmos nossa língua, vamos nos arrebentar nos rochedos, vamos nos destruir e vamos ainda destruir quem está perto de nós, porque a língua tem poder de dirigir para bem ou para o mal.

A língua tem o poder de destruir (Tg 3.5-8)

Tiago lança mão de outras duas figuras: *o fogo* e *o veneno* (3.5-8). Ele diz que uma fagulha pequena incendeia toda uma floresta. Você já parou para perceber que um incêndio de proporções tremendas pode ser causado por uma simples guimba de cigarro ou por um mero palito de fósforo? Aquela chama inicial é tão pequena que, se você der um sopro, ela se apaga. Mas o que adianta você soprar um fogo que se alastra por uma floresta? Aí não adianta mais. O fogo, depois que se agiganta e alastra torna-se indomável e deixa atrás de si grande devastação. Assim é o poder da língua.[59] Onde um comentário maledicente se espalha, onde a boataria medra e onde a fofoca se infiltra, como labaredas de fogo, vai se alastrando e provocando destruição. Assim como o fogo cresce, espalha, fere, destrói e provoca sofrimento, prejuízo e destruição, assim também é o poder da língua.

No dia 8 de outubro de 1871, às oito horas e trinta minutos da noite, durante uma campanha evangelística de Dwight Liman Moody, em Chicago, aconteceu um terrível incêndio. Mais de cem mil pessoas ficaram sem casas, dezessete mil e quinhentos prédios foram destruídos e centenas de pessoas morreram.[60] Aquele incêndio

[59] Provérbios 26.20; 16.27.

[60] WIERSBE, Warren. *The Bible Expository Commentary*. Vol. 2, p. 359.

começou tênue e pequeno, mas atingiu proporções avassaladoras. Assim é o poder da língua, diz Tiago.

É do conhecimento geral o que aconteceu no ano 64 d.C. na cidade de Roma. O imperador romano Nero, em sua insanidade, pôs fogo em Roma, assistindo o espetáculo horrendo das chamas lambendo a cidade com fúria e à destruição do alto da torre de Mecenas. Dos quatorze bairros de Roma, dez foram devastados e destruídos pelas chamas. O que Tiago está querendo nos alertar é que a língua tem o poder do fogo, o poder de destruir. Como o fogo destrói, também a língua destrói.

No final do século 19, na cidade de Denver, Colorado, Estados Unidos, quatro repórteres aguardavam ansiosamente a chegada de um famoso político, um senador, que haveria de visitar a cidade. Os repórteres posicionaram-se para receber o dito senador, um homem de projeção no país. Entrementes, para a frustração deles, o senador não chegou, e eles ficaram tão decepcionados e desiludidos que resolveram ir para o *Oxford Hotel* e começaram a beber. Durante toda aquela noite, beberam em excesso. Depois de embriagados, eles resolveram escrever uma matéria para o jornal que pudesse chamar a atenção da população. De forma contundente, escreveram um artigo cuja manchete era: "A China anuncia a derribada de suas multisseculares muralhas".

A notícia chegou à China como uma bomba explosiva e provocou uma grande confusão. Os chineses reagiram furiosamente, abrigando um grande ódio pelos ocidentais. Os cristãos ocidentais que moravam na China passaram a ser perseguidos. Essa malfadada notícia provocou na China a sangrenta Revolução dos Boxers.

Em maio de 1900 essa revolução se alastrou, provocando grandes tragédias e a perda de milhares de vidas. Foi preciso que os Estados Unidos, a Inglaterra, a Alemanha, a França e o Japão se unissem para defender os ocidentais. Dezenove mil soldados aliados capturaram Pequim no dia 14 de agosto de 1900, mas, naquele mesmo dia, duzentos e cinqüenta ocidentais foram assassinados naquela cidade. Só um ano depois é que o tratado de paz foi assinado. Contudo, os chineses expulsaram os estrangeiros da China. Esse fato medonho, provocado por uma mentira, foi o combustível para inflamar o nacionalismo chinês, encarnado na revolução comunista de 1949.

Aqueles quatro repórteres de Denver jamais poderiam imaginar que uma notícia inconseqüente pudesse trazer transtornos, prejuízos e tragédias tão gigantescas, de proporções tão avassaladoras. Assim é a língua, diz Tiago.

Muitas vezes, faz-se comentários acerca de uma pessoa, ou de uma determinada situação, em um tom jocoso, em tom de brincadeira, mas não podemos imaginar o que uma palavra irrefletida, mal colocada, pode provocar na vida de uma pessoa. E, então, Tiago está nos alertando que a língua tem de igual modo o poder destruidor. Tiago diz no versículo 6 que a língua é fogo. Ele não disse que é como fogo, mas é fogo. Tiago faz uma afirmação categórica. Ele diz também que a língua é um mundo de iniqüidade. A língua corrompe. Mais do que isso, a língua contamina, fermenta, joga uma pessoa contra a outra.

Tiago diz no versículo 6 que a língua está situada entre os membros do nosso corpo, e contamina o corpo inteiro, e não só põe em chamas toda a carreira da existência humana, como também ela mesma é posta em chamas no inferno. Ela não só leva à destruição, como também será destruída.

Três coisas precisam ser destacadas no pensamento de Tiago.

Em primeiro lugar, *a língua é perigosa* (3.6). Ela é mundo de iniqüidade, ela é fogo, ela coloca em destruição toda a carreira da vida humana.

Em segundo lugar, *a língua é indomável* (3.7). O homem, com o seu gênio, consegue domar os animais do campo, os répteis, os voláteis e também os animais aquáticos. O homem doma todas as criaturas do ar, da terra e do mar. Porém, o homem não consegue domar a própria língua. Se o homem conseguisse domar sua língua, diz Tiago, então ele seria um perfeito varão. O apóstolo Paulo diz que antes de abrirmos a boca, precisamos avaliar se a nossa palavra é verdadeira, amorosa, boa e edificante (Ef 4.29).

Sócrates, o pai da filosofia, costumava falar sobre a necessidade de passarmos tudo que ouvimos por três peneiras. Quando alguém chegava para contar-lhe alguma coisa, geralmente perguntava o seguinte: "Você já passou o que está me contando pelas três peneiras?" A primeira é a peneira da verdade. O que você está me falando é verdade? Se a pessoa titubeasse, dizendo: "Eu escutei falar que é verdade". Sócrates, prontamente dizia: "Bom, se você escutou falar, você não tem certeza". A segunda peneira é: "Você já falou para a pessoa envolvida o que você está me falando?" A terceira peneira: "O que você vai me contar, vai ajudar essa pessoa? Vai ser uma palavra boa, útil, edificante para ajudar na solução do problema?" Se a pessoa não podia responder positivamente ao crivo das três peneiras, então, Sócrates era enfático: "Por favor, não me conte nada, eu não quero saber".

O que Tiago está dizendo é que a língua é indomável. Às vezes, nós conseguimos dominar o universículo, mas não conseguimos domar nossa língua. Benjamim Franklin costumava dizer que o animal mais terrível do mundo tem a sua toca atrás dos dentes, e Tiago diz que este animal indomável e venenoso é a língua. Esse animal feroz e venenoso é pior que um escorpião, pior que uma jararaca peçonhenta. A picada de um escorpião ou de uma cobra pode ser tratada, mas muitas vezes, o veneno da língua é incurável.

Em terceiro lugar, *a língua é incoerente* (3.9-12). Você não pode encontrar em uma mesma fonte água salgada e água doce. Você não pode colher figos de um espinheiro nem espinhos de uma figueira, mas você fala coisas boas e coisas más com a mesma língua. Tiago está enfatizando o mesmo que Jesus Cristo disse, que a boca fala daquilo que o coração está cheio. Se o seu coração é mau, a palavra que vai sair da sua boca é má. A incoerência da língua está no fato de que com ela você bendiz a Deus e também amaldiçoa a seu irmão, criado à imagem e semelhança de Deus.

A mesma língua que usamos para falar dos outros é a mesma língua que usamos para louvar a Deus no culto. A mesma língua que usamos para glorificar ao Senhor com nossos cânticos e orações, usamos também para ferir de morte uma pessoa criada à imagem de Deus. A língua não apenas é incoerente, mas também contraditória.

A língua tem o poder de deleitar (Tg 3.9-12)

Tiago disse que a língua tem o poder de dirigir e citou dois exemplos: o freio e o leme. Também disse que a língua tem o poder de destruir e exemplificou com o fogo e o veneno. Mas, agora, Tiago fala que a língua tem, também, o poder de deleitar e citou mais dois exemplos: uma fonte e uma árvore.

Na Palestina, região árida e seca, quando se fala em fonte, fala-se de um lugar muitíssimo precioso. A fonte é um lugar onde os sedentos, os cansados chegam e encontram alento, vida, força, ânimo e coragem para prosseguirem a caminhada da vida. A Bíblia fala de Agar perambulando no deserto com seu filho Ismael. A água acabou, a sede implacável a dominou e o desespero tomou conta dela e do seu filho. Sem esperança, sentou-se longe do seu filho para chorar, pois não tinha coragem de vê-lo morrer na ânsia da sede implacável. Mas, do céu o anjo de Deus lhe falou. Uma fonte começou a jorrar água perto de Ismael e a esperança brotou em sua alma, a vida floresceu em seu peito e o futuro sorriu para ela (Gn 21.15-21). Assim é uma palavra boa: traz alento em meio ao cansaço; traz esperança em meio ao desespero; traz vida no portal da morte.

Que bênção você poder usar sua língua como uma fonte de refrigério para as pessoas, para abençoá-las, encorajá-las e consolá-las. Como é precioso trazer uma palavra boa, animadora e restauradora para uma alma aflita.

A principal marca do cristão maduro é ser parecido com Jesus, o varão perfeito. Uma das principais características de Jesus era que sempre que uma pessoa chegava aflita perto dele saía animada, restaurada, com novo entusiasmo pela vida. Quando as pessoas chegam perto de você, elas saem mais animadas e encantadas com a vida? Elas saem cheias de entusiasmo, dizendo que valeu a pena conversar com você? Você tem sido uma fonte de vida para as pessoas? Sua família é abençoada pelas suas palavras? Seus colegas de escola e de trabalho são encorajados com a maneira de você falar?

Tiago compara também a língua com uma árvore e seu fruto. A árvore fala de fruto e fruto é alimento. Fruto renova as energias, a força, a saúde e dá capacidade para viver. Nós podemos alimentar as pessoas com uma palavra boa, uma palavra vinda do coração de Deus, uma palavra de consolo. Fruto também fala de um sabor especial. Nós podemos dar sabor à vida das pessoas pela maneira como nos comunicamos.

Capítulo 6

Como saber se sua sabedoria é terrena ou celestial

(Tiago 3.13-18)

TIAGO FALOU NOS VERSÍCULOS 1 a 12 sobre o poder da língua: ela tem o poder de dirigir (freio e leme), o poder de destruir (fogo e veneno) e o poder de deleitar (fonte e fruto). Agora, Tiago fala sobre a sabedoria para lidar com as circunstâncias e com as pessoas. Assim como o rei Salomão pediu sabedoria para Deus, nós também podemos pedir.

O que é sabedoria? Sabedoria é o uso correto do conhecimento. Uma pessoa pode ser culta e tola. Hoje se dá mais valor à inteligência emocional do que à inteligência intelectual. Uma pessoa pode ter muito conhecimento e não saber se relacionar com as pessoas. Ela pode ter muito conhecimento e não saber viver consigo e com os outros.

Sabedoria é também olhar para a vida com os olhos de Deus. A pergunta do sábio é: em meus passos, o que faria Jesus? Como ele falaria, como agiria, como reagiria? Cristo não foi um mestre da escola clássica. Ele ensinou os seus discípulos na escola da vida. Ensinar a sabedoria é mais importante do que apenas transmitir conhecimento.

Tiago está contrastando dois diferentes tipos de sabedoria: a sabedoria da terra e a sabedoria do céu.[61] Qual sabedoria governa a sua vida? Por qual caminho você está trilhando? Que tipo de vida você está vivendo? Que frutos esse estilo de vida está produzindo? A sua fonte é doce ou salgada (3.12)?

Tiago mostra, também, que essa sabedoria se reflete nos relacionamentos (3.13.14). Sábio é aquele que é santo em caráter, profundo em discernimento e útil nos conselhos. Você conhece o sábio e o inteligente pela mansidão da sua sabedoria e pelas suas obras, ou seja, imitando a Jesus, que foi manso e humilde de coração (Mt 11.29). Warren Wiersbe, comparando a sabedoria de Deus com a sabedoria do mundo, faz três contrastes: quanto à sua origem, quanto às suas características e quanto aos resultados.[62]

O contraste sobre a origem da sabedoria (Tg 3.15-17a)

Há uma sabedoria que vem do alto e outra que vem da terra. Há uma sabedoria que vem de Deus e outra engendrada pelo próprio homem. A Bíblia traz alguns exemplos da tolice da sabedoria do homem: primeiro, a torre de Babel parecia ser um projeto sábio, mas terminou em fracasso e confusão (Gn 11.9). Segundo, pareceu sábio

---

[61] BOYCE, James Montgomery. *Creio sim, mas e daí?* p. 78.

[62] WIERSBE, Warren. *The Bible Expository Commentary.* Vol. 2, p. 363-366.

a Abraão descer ao Egito em tempo de fome em Canaã, mas os resultados provaram o contrário (Gn 12.10-20). Terceiro, o rei Saul pensou que estava sendo sábio quando colocou a sua armadura em Davi (1Sm 17.38,39). Quarto, os discípulos pensaram que estavam sendo sábios pedindo a Jesus para despedir a multidão no deserto, mas o plano de Cristo era alimentá-la por meio deles (Mt 14.15,16). Quinto, os especialistas em viagens marítimas pensaram que era sábio viajar para Roma e por isso não ouviram os conselhos de Paulo e fracassaram (At 27.9-11).[63]

A sabedoria da terra tem três características: terrena, animal (não espiritual) e demoníaca.

Em primeiro lugar, *ela é terrena* (3.15). É a sabedoria deste mundo (1Co 1.20,21). A sabedoria de Deus é tolice para o mundo e a sabedoria do mundo é tolice para Deus. A sabedoria do homem vem da razão, enquanto a sabedoria de Deus vem da revelação. A sabedoria do homem desemboca no fracasso, a sabedoria de Deus dura para sempre. Augusto Comte é o pai do Positivismo. O Positivismo prega que o problema básico da humanidade é a educação. As pessoas são más, dizem, porque são ignorantes. Desde o Iluminismo francês do século 18, o homem começou a sentir orgulho de seu conhecimento, da sua razão, de suas conquistas. Embalado pelo otimismo do humanismo idolátrico, o homem pensou em construir um paraíso na terra com as suas próprias mãos. Mas esse sonho dourado transformou-se em pesadelo. No auge do otimismo humanista, o século 20 foi sacudido por duas sangrentas guerras mundiais. A sabedoria terrena não conseguiu resolver o problema da humanidade. O homem tem conhecimento, dinheiro, poder, ciência, mas é um ser corrompido e mau,

[63] WIERSBE, Warren. *The Bible Expository Commentary*. Vol. 2, p. 362.

mais amante dos prazeres que de Deus. Entregue a si mesmo, o homem é apenas um monstro, ainda que bafejado de requintado conhecimento.

Em segundo lugar, *ela é animal ou não-espiritual* (3.15). A palavra grega é *psykikos*. Essa palavra é traduzida por natural, (1Co 2.14; 15.44,46) como oposto de espiritual.[64] Em Judas 19, essa palavra é traduzida como sensual. Essa sabedoria está em oposição à nova natureza que temos em Cristo. É uma sabedoria totalmente à parte do Espírito de Deus. Essa sabedoria escarnece das coisas espirituais. O mundo está cada vez mais secularizado. As coisas de Deus não importam. A Palavra de Deus não governa a vida familiar, econômica, profissional, sentimental das pessoas. Empurramos Deus para dentro dos templos.

Em terceiro lugar, *ela é demoníaca* (3.15). Essa foi a sabedoria usada pela serpente para enganar Eva, induzindo-a a querer ser igual a Deus e fazendo-a descrer de Deus para crer nas mentiras do diabo. As pessoas hoje continuam crendo nas mentiras do diabo (Rm 1.18-25). O diabo se transfigura em anjo de luz para enganar as pessoas. Pedro revelou essa sabedoria quando tentou induzir Cristo a fugir da cruz (Mc 8.32,33). Norman Champlin sintetiza esses três tipos trágicos de sabedoria da seguinte maneira:

> Essa sabedoria é "terrena" porque busca distinções terrenas e pertence a categorias terrenas. Além disso, ela é sensual, isto é, natural, porque é o resultado de princípios que atuam sobre os homens naturais, como a inveja, a ambição, o orgulho, etc. Finalmente, ela é demoníaca, porque, primeiramente, veio do diabo, constituindo a imagem mesma de seu orgulho, de sua ambição, de sua malignidade e de sua falsidade.[65]

[64] WIERSBE, Warren. *The Bible Expository Commentary*. Vol. 2, p. 363.
[65] CHAMPLIN, Russell Norman. *O Novo Testamento Interpretado – Tiago. Vol. 6,* p. 60.

Agora, Tiago fala sobre *a sabedoria do alto*. A verdadeira sabedoria vem de Deus, do alto, visto que ela é fruto de oração (1.5), ela é dom de Deus (1.17). Essa sabedoria está em Cristo: Ele é a nossa sabedoria (1Co 1.30). Em Jesus nós temos todos os tesouros da sabedoria (Cl 2.3). Essa sabedoria está na Palavra, visto que ela nos torna sábios para a salvação (2Tm 3.15). Ela nos é dada como resposta de oração (Ef 1.17; Tg 1.5).

Contraste sobre as características da sabedoria (Tg 3.13,14,17)

Desde que as duas sabedorias procedem de origens radicalmente opostas, elas também operam em caminhos diferentes.[66]

Qual é a evidência da falsa sabedoria?

Em primeiro lugar, *ela se manifesta por meio de uma inveja amargurada* (3.14,16). Essa ambição está ligada à cobiça de posição e *status*. Tiago alertou para o perigo de se cobiçar ofícios espirituais na igreja (3.1). A sabedoria do mundo diz: promova a você mesmo. Você é melhor do que os outros. Os discípulos de Cristo discutiam quem era o maior dentre eles. Os fariseus usavam suas atividades religiosas para se promoverem diante dos homens (Mt 6.1-18). A sabedoria do mundo exalta o homem e rouba a Deus da sua glória (1Co 1.27-31). O invejoso, em vez de alegrar-se com o triunfo do outro, alegra-se com seu fracasso. Ele não apenas deseja ter como o outro, mas tem tristeza porque não tem o que é do outro. O invejoso é alguém que tem uma super preocupação com sua posição, dignidade e direitos.

[66] WIERSBE, Warren. *The Bible Expository Commentary. Vol. 2*, p. 363.

Em segundo lugar, *a falsa sabedoria manifesta-se através de um sentimento faccioso* (3.14b,26b). Há grandes feridas nos relacionamentos dentro das famílias e das igrejas. A palavra que Tiago usa, *erithia,* significa espírito de partidarismo. Subentende a inclinação por usar meios indignos e divisórios para promover os próprios interesses.[67] Era a palavra usada por um político à cata de votos. As pessoas estão a seu favor ou então contra você. Paulo alertou em Filipenses 2.3 sobre o perigo de estarmos envolvidos na obra de Deus com motivações erradas: vanglória e partidarismo. Norman Champlin faz o seguinte comentário,

> As rivalidades entre os mestres logo criam rivalidades na igreja. Os homens esforçam-se por ser, cada qual, o líder mais poderoso; e aqueles que os apóiam adicionam combustível ao fogo, até que tudo é consumido pelas chamas devoradoras da carnalidade. Todos são "zelotes", mas não em favor de Cristo; são todos ambiciosos, mas somente em proveito próprio; todos estão consumidos de ardor, mas não do fogo celestial, e, sim, do fogo do inferno. As dissensões eclesiásticas sempre foram caracterizadas por situações assim, e quanto mais homens carnais são exaltados e transformados em heróis, ou se apresentam a outros como tais, maior é o desastre.[68]

Em terceiro lugar, *a falsa sabedoria está misturada com a mentira* (3.14c). A inveja produz sentimento faccioso. Este promove a vaidade, e a vaidade se alimenta da mentira (1Co 4.5).

Qual é a evidência da verdadeira sabedoria? Tiago elenca vários atributos da verdadeira sabedoria:

---

[67] CHAMPLIN, Russell Norman. *O Novo Testamento Interpretado – Tiago. Vol. 6*, p. 59

[68] CHAMPLIN, Russell Norman. *O Novo Testamento Interpretado – Tiago. Vol. 6*, p. 59

Primeiro, *mansidão* (3.13). Mansidão não é fraqueza, mas poder sob controle.[69] A palavra era usada para um cavalo domesticado, que tinha o seu poder sob controle. Uma pessoa que não tem controle pessoal ou domínio próprio não é sábia. Mansidão é o uso correto do poder, assim como sabedoria é o uso correto do conhecimento.

Segundo, *pureza* (3.17). A sabedoria de Deus é incontaminada, sem qualquer defeito moral e sem motivos ulteriores. Ela é livre de ambição humana e da auto-glorificação.[70] "Primeiramente pura" mostra a importância da santidade. Deus é santo, portanto, a sabedoria que vem de Deus é pura. Ela é livre de impureza, mácula, dolo. A sabedoria de Deus nos conduz à pureza de vida. A sabedoria do homem conduz à amizade com o mundo.

Terceiro, *paz* (3.17). A sabedoria divina não é contenciosa nem facciosa e nem beligerante.[71] A sabedoria do homem leva à competição, rivalidade e guerra (4.1,2), mas a sabedoria de Deus conduz à paz. Essa é a paz produzida pela santidade e não pela complacência ao erro. Não se trata da paz que encobre o pecado, mas da paz fruto da confissão do pecado.

Quarto, *indulgência* (3.17). No grego temos o termo *piekes,* isto é, razoável, cheio de consideração, moderado, gentil, qualidades essas que os homens facciosos e por demais ambiciosos não possuem.[72] Essa característica da sabedoria do alto trata da atitude de não criar conflitos nem comprometer a verdade para manter a paz. É ser gentil sem ser fraco.

---

[69] WIERSBE, Warren. *The Bible Expository Commentary. Vol. 2*, p. 364.

[70] CHAMPLIN, Russell Norman. *O Novo Testamento Interpretado – Tiago. Vol. 6*, p. 60.

[71] CHAMPLIN, Russell Norman. *O Novo Testamento Interpretado – Tiago. Vol. 6*, p. 61.

[72] CHAMPLIN, Russell Norman. *O Novo Testamento Interpretado – Tiago. Vol. 6*, p. 61.

Quinto, *tratável* (3.17). A palavra grega *eupeithes* significa "facilmente persuadido"; o contrário de obstinado. Essa sabedoria é aberta à razão.[73] É ser uma pessoa comunicável, de fácil acesso. Jesus era assim: as crianças, os enjeitados, os leprosos, os doentes, as mulheres, os publicanos, as prostitutas, os doutores tinham livre acesso a Ele. A Bíblia, entretanto, fala de Nabal, um homem duro no trato, com quem ninguém podia se comunicar (1Sm 25.3,17).

Sexto, *plena de misericórdia* (3.17). A palavra misericórdia significa lançar o coração na miséria do outro. É inclinar-se para socorrer o aflito. É sentir ternura pelo necessitado e estender-lhe a mão, ainda que ele nada mereça. A parábola do bom samaritano nos exemplifica esse tipo de sabedoria: para um samaritano, cuidar de um judeu que o hostilizava era um ato de misericórdia.

Sétimo, *bons frutos* (3.17). As pessoas que são fiéis são frutíferas. Quem não produz frutos, produz galhos. A sabedoria de Deus é prática. Ela muda a vida e produz bons frutos para a glória de Deus.

Oitavo, *imparcial* (3.17). Uma pessoa que não tem duas mentes, duas almas (1.6). A palavra grega *adiákritos* significa "não dividido em julgamento".[74] Quando você tem a sabedoria de Deus, você julga conforme a verdade e não conforme a pressão ou conveniência.

Nono, *sem fingimento* (3.17). A palavra significa sinceridade, sem hipocrisia. O hipócrita é um ator que representa um papel diferente ao da sua vida real. Na sabedoria divina não existe jogo de interesse nem política

---

[73] CHAMPLIN, Russell Norman. *O Novo Testamento Interpretado – Tiago. Vol. 6*, p. 61.
[74] CHAMPLIN, Russell Norman. *O Novo Testamento Interpretado – Tiago. Vol. 6*, p. 61.

de bastidor. A sabedoria não opera por detrás de uma máscara, supostamente para o bem de outros, mas, na realidade, visando apenas os seus próprios interesses.[75]

Contraste sobre os resultados (Tg 3.16,18)

A origem determina os resultados. A sabedoria do mundo produz resultados mundanos; a sabedoria espiritual, resultados espirituais.

A sabedoria do mundo *produz problemas* (3.16b). Inveja, confusão, e todo tipo de coisas ruins são o resultado da sabedoria do mundo. Muitas vezes, esses sintomas da sabedoria do mundo estão dentro da própria igreja (3.12; 4.1-3; 2Co 12.20). Pensamentos errados produzem atitudes erradas. Uma das causas do porquê deste mundo estar tão bagunçado é que os homens têm rejeitado a sabedoria de Deus. A palavra "confusão" significa desordem que vem da instabilidade.[76] Essas pessoas são instáveis como a onda (1.8) e indomáveis como a língua (3.8). Essa palavra é usada por Cristo para revelar a confusão dos últimos dias (Lc 21.9).

A sabedoria de Deus *produz bênçãos* (3.18). Tiago lista três coisas: primeiro, vida reta (3.13). Uma pessoa sábia é conhecida pela sua vida irrepreensível, conduta santa. Segundo, obras dignas de Deus (3.13). Uma pessoa sábia não apenas fala, mas faz. Terceiro, fruto de justiça (3.18). A vida cristã é uma semeadura e uma colheita. Nós colhemos o que semeamos. O sábio semeia justiça e não pecado. Ele semeia paz e não guerra. O que nós somos, nós vivemos e o que nós vivemos, nós semeamos. O que nós semeamos determina o que nós colhemos. Temos que semear a paz

[75] CHAMPLIN, Russell Norman. *O Novo Testamento Interpretado – Tiago. Vol. 6*, p. 61.
[76] WIERSBE, Warren. *The Bible Expository Commentary. Vol. 2*, p. 365.

e não problemas no meio da família de Deus. Como poderemos conhecer uma pessoa sábia? Uma pessoa sábia é sempre uma pessoa humilde. Aquele que proclama as suas próprias virtudes carece de sabedoria.

Como poderemos identificar uma pessoa que não tem sabedoria? Suas palavras e atitudes provocarão inveja, rivalidades, divisão, guerras.

Capítulo 7

Como viver em um mundo cheio de guerras

(Tiago 4.1-12)

As guerras são uma realidade da vida, a despeito dos acordos de paz. Não há apenas guerras entre as nações, mas também entre as denominações, dentro nas famílias e dentro do nosso próprio coração. Tiago diz que o nosso verdadeiro problema não está fora de nós, mas dentro de nós (4.1; Mt 15.19,20).

A guerra do Peloponeso, que durou 27 anos, destruiu a Grécia no ápice da grande civilização que ela havia criado como resultado da Idade de Ouro de Atenas. Roma fez da guerra uma maneira de viver, mas, apesar disso, foi vencida e destruída pelos bárbaros. Na Idade Média, a guerra varreu a Europa, culminando com os horrores da Guerra dos Trinta Anos, terminada em 1648.

Essa guerra é considerada o episódio militar mais horrível na história ocidental antes do século 20. Cerca de 7 milhões de pessoas ou seja, 1/3 dos povos de língua alemã morreram naquela guerra. James Boyce disse que a guerra é o nosso principal legado.[77]

Na Primeira Guerra Mundial (1914-1918) aproximadamente 30 milhões de pessoas pereceram. Todos ficaram horrorizados. Mas dentro de 20 anos outra guerra foi travada no mesmo anfiteatro, pelos mesmos participantes, por muitas das mesmas razões. A Segunda Guerra Mundial (1939-1945) resultou na perda de 60 milhões de vidas, enquanto os custos quadruplicaram da estimativa de 340 bilhões para 1 trilhão de dólares.[78]

Assistimos a guerra fria entre o comunismo e o capitalismo. Assistimos o maior massacre da história contra os cristãos pelas mãos do comunismo entre os anos de 1917 a 1985. Assistimos sangrentas guerras tribais na África, batalhas fratricidas na Irlanda, massacres no Oriente Médio. Hoje vemos o domínio bélico dos Estados Unidos sobre seus rivais.

Essas guerras são uma projeção da guerra instalada em nosso próprio peito. Carregamos uma guerra dentro de nós. Desejamos o nosso próprio prazer à custa dos outros (4.2). Em vez de lutar, Tiago diz que devemos orar (4.2,3).

Warren Wiersbe, comentando este texto, diz que Tiago fala sobre três tipos de guerras que enfrentamos: contra as pessoas, contra nós mesmos e contra Deus.[79]

---

[77] BOYCE, James Montgomery. *Creio sim, mas e daí?* p. 84,85

[78] BOYCE, James Montgomery. *Creio sim, mas e daí?* p. 85.

[79] WIERSBE, Warren. *The Bible Expository Commentary. Vol. 2*, p. 366-370.

Em guerra contra as pessoas (Tg 4.1,11,12)

O Salmo 133.1 diz: "Oh! quão bom e quão suave é que os irmãos vivam em união!" Certamente, os irmãos deveriam viver unidos, em harmonia, mas muitas vezes eles vivem em guerra. Os pastores de Ló entraram em contenda com os pastores de Abraão. Absalão conspirou contra o seu pai Davi. Os próprios discípulos geraram tensões entre si, perguntando para Jesus quem era o maior entre eles. Às vezes, os membros da igreja de Corinto entravam em contendas e levavam essas guerras para os tribunais do mundo (1Co 6.1-8). Na igreja da Galácia, os crentes estavam se mordendo e se devorando (Gl 5.15). Paulo escreveu aos crentes de Éfeso, exortando-os a preservarem a unidade no vínculo da paz (Ef 4.3). Na igreja de Filipos, duas mulheres, líderes da igreja, estavam em desacordo (Fp 4.1-3).[80]

Tiago já havia denunciado a guerra de classes (2.1-9). Os ricos recebiam toda a atenção e os pobres eram ignorados. Tiago também denunciou a guerra entre patrões e empregados (5.1-6), quando os ricos estavam retendo com fraude os salários dos ceifeiros. Tiago denuncia ainda a guerra dentro da igreja (1.19,20). Os crentes estavam ferindo uns aos outros com a língua e com um temperamento descontrolado. Finalmente, Tiago denuncia uma guerra pessoal (4.11,12). Os crentes estavam vivendo em constante clima de hostilidade.[81] Os crentes estavam falando mal uns dos outros e julgando uns aos outros. Nós precisamos examinar primeiro a nossa própria vida e depois ajudar os outros (Mt 7.1-5). Não somos chamados para ser juízes. Deus é o nosso juiz.

---

[80] WIERSBE, Warren. *The Bible Expository Commentary. Vol. 2*, p. 366,367.

[81] MOTYER, J. A. *The Message of James*, p. 141.

O mundo vê essas guerras dentro das denominações, dentro das igrejas, dentro das famílias e isso é uma pedra de tropeço para a evangelização. Por isso Jesus orou pela unidade (Jo 17.21). Como podemos estar em guerra uns contra os outros se pertencemos à mesma família, se confiamos no mesmo Salvador, se somos habitados pelo mesmo Espírito? A resposta de Tiago é que temos uma guerra dentro de nós.

Tiago aborda aqui três coisas: primeiro, um fato: há guerra entre os irmãos. Essa guerra representa o contínuo estado de hostilidade e antagonismo. Segundo, uma causa: os prazeres que militam na nossa carne. Tiago diz que os nossos desejos são como um campo armado pronto para guerrear. Terceiro, uma prática: a cobiça.

Em guerra contra nós mesmos (Tg 4.1b-3)

A fonte de todas essas guerras está dentro do nosso próprio coração (4.1; 3.14,16). A essência do pecado é o egoísmo.[82] Eva caiu porque quis ser igual a Deus. Abraão mentiu porque queria se proteger (Gn 12.10-20). Acã causou derrota a Israel porque egoisticamente tomou o que era proibido. Somos como Tiago e João, queremos lugar especial no trono.

Desejos egoístas são coisas perigosas. Eles levam a ações erradas (4.2).[83] E eles levam a orações erradas (4.3). Tiago agora se move do relacionamento errado com outros irmãos para um relacionamento errado com Deus.[84] Quando as nossas orações são erradas, toda a nossa vida está errada. Nossas orações não são respondidas quando há guerras entre os irmãos e paixões dentro do coração.

---

[82] WIERSBE, Warren. *The Bible Expository Commentary. Vol. 2*, p. 367.
[83] WIERSBE, Warren. *The Bible Expository Commentary. Vol. 2*, p. 368.
[84] MOTYER, J. A. *The Message of James*, p. 143.

Quando temos guerra com os irmãos, temos a comunhão interrompida com Deus. A oração seria a solução (4.2b), mas na prática, a oração não funciona (4.3a) porque ela está motivada pela mesma razão que provoca as contendas (4.3b).

"Não cobiçarás" é o décimo e último mandamento da lei. Por meio dele tomamos conhecimento da malignidade do nosso pecado (Rm 7.7). Ele descobre não nossos atos, mas nossos desejos e intenções. Ele tira uma radiografia do nosso interior. Quebramos toda a lei quando quebramos esse mandamento. Desejo egoísta e oração egoísta conduzem à guerra. Se há guerra do lado de dentro, haverá guerra do lado de fora.[85]

O nosso coração é o laboratório onde as guerras são criadas, a estufa onde elas germinam e crescem, o campo onde elas dão o seu fruto maldito. Observe esta dramática descrição:

> Esta é uma lista de "armas e estratégias usadas nas lutas e disputadas da igreja". É quase tão verdadeira que chega a ser cômica! Essas armas aproximam-se, em muito, às mencionadas por Tiago.
>
> Mísseis – atacam os membros da igreja à distância.
>
> Táticas de guerrilha – armam emboscadas contra alguém que esteja desavisado.
>
> Franco atiradores – são os críticos com boa pontaria.
>
> Terrorismo – ninguém fica imune de ser atingido.
>
> Minas – seu uso assegura que outros falharão em seus esforços de servir a Deus.
>
> Espionagem – uso de amizades para se obter informações potencialmente danosas sobre outras pessoas.

[85] WIERSBE, Warren. *The Bible Expository Commentary. Vol. 2*, p. 368.

Propaganda – uso da intriga para difundir informações prejudiciais sobre outros.

Guerra fria – "coloca em gelo" um oponente, ao se evitar ou se recusar a manter diálogo com a pessoa.

Ataque nuclear – mantém o usuário desejoso de sacrificar a igreja se os alvos do seu grupo não forem atingidos.

Tiago nos mostra a localização exata das usinas de fabricação de todas estas armas: o problema está em nós mesmos.[86]

Em guerra contra Deus (Tg 4.4-10)

A raiz de toda a guerra é rebelião contra Deus. Mas como um crente pode estar em guerra contra Deus? Cultivando amizade com os inimigos de Deus. Tiago cita três inimigos com quem não podemos ter amizade, se desejamos viver em paz com Deus. Tiago fala de tentações que estão fora de nós (o mundo e o diabo) e tentações que estão dentro de nós (a carne).

Em primeiro lugar, *Tiago fala do mundo* (4.4). A palavra *kosmos* foi empregada em um sentido ético, para indicar uma sociedade corrupta, ou o princípio do mal que opera sobre os homens.[87] O mundo aqui é a sociedade humana com seus valores, princípios e filosofia vivendo à parte de Deus.[88] Esse sistema que rege o mundo é anti-Deus. Se o mundo valoriza a riqueza, começamos a valorizar a riqueza também. Se o mundo valoriza o prestígio, começamos a valorizar o prestígio. Temos a tendência de assimilar esses valores do mundo.

---

[86] Life Application Commentary – *James*. Wheaton. Illinois: Tyndale House Publishers, 1992, p. 92.

[87] CHAMPLIN, Russell Norman. *O Novo Testamento Interpretado – Tiago. Vol. 6*, p. 64.

[88] WIERSBE, Warren. *The Bible Expository Commentary. Vol. 2*, p. 368.

Um crente pode tornar-se amigo do mundo gradativamente: primeiro, sendo amigo do mundo (4.4). Segundo, sendo contaminado pelo mundo (1.27). Terceiro, amando o mundo (1Jo 2.15-17). Quarto, conformando-se com o mundo (Rm 12.2). O resultado é ser condenado com o mundo (1Co 11.32). Assim, seremos salvos como que por meio do fogo (1Co 3.11-15). Amizade com o mundo é uma espécie de adultério espiritual. O crente está casado com Cristo (Rm 7.4) e deve ser fiel a Ele (Is 54.5; Jr 3.1-5; Ez 23; Os 1-2; 1Co 11.2). O mundo é inimigo de Deus e ser amigo do mundo é constituir-se em inimigo de Deus.

Não dá para ser amigo do mundo e de Deus ao mesmo tempo. Temos que tomar cuidado com as pequenas coisas. O mundo envolve as pessoas pouco a pouco. Ninguém se torna um viciado em álcool do dia para a noite. Ninguém se lança de cabeça nas aventuras loucas das drogas no primeiro trago ou na primeira picada. Ninguém começa uma vida licenciosa num primeiro flerte. A sedução do mundo é como uma fenda numa barragem, começa pequena, mas pode conduzir a um grande desastre. Luis Palau comenta:

> Quando a imensa represa Teton Dam, no sudeste de Idaho, desmoronou, em 05 de junho de 1976, todos ficaram aturdidos. Sem aviso prévio, sob céu claro, a imensa estrutura subitamente desmoronou, lançando milhões de litros de água para dentro da bacia do rio Snake. Uma catástrofe súbita? Um desastre instantâneo? Certamente parecia ser, pelo menos superficialmente. Mas, abaixo da linha da água, numa profundidade em que os engenheiros não podiam ver, ocorria a propagação de uma rachadura oculta que, de forma lenta, porém gradual, enfraquecia toda a estrutura da represa. Aquilo começou de forma bastante insignificante. Apenas um

> pequeno ponto frágil, uma pequena ponta de erosão. Ninguém vira e ninguém cuidara do problema. Quando a fenda foi detectada, já era muito tarde. Os empregados da represa tiveram apenas de correr para salvar suas vidas e de escapar de serem levados pelas águas. Ninguém vira a pequena rachadura, mas todos viram o grande desmoronamento.[89]

Em segundo lugar, *Tiago fala da carne* (4.1,5). A carne é a nossa velha natureza. A carne não é o corpo. O corpo não é pecaminoso. Warren Wiersbe diz que o Espírito pode usar o corpo para glorificar a Deus ou a carne pode usar o corpo para servir o pecado.[90] Na conversão recebemos uma nova natureza, mas não perdemos a velha. Ela precisa ser crucificada. Essas duas naturezas estão em conflito (Gl 5.17). É isso que Tiago diz no versículo 1.

Há paixões carnais que buscam nos colocar em guerra contra Deus. Devemos fugir dessas paixões (1Co 6.18; 2Tm 2.22). Fugir não é um gesto desprezível. José do Egito fugiu da mulher de Potifar. A única maneira de vencer as tentações da carne é fugindo, fugindo do lugar, das circunstâncias, das pessoas. Viver na carne significa entristecer o Espírito Santo que vive em nós (4.5; Ef 4.30). O Espírito de Deus habita em nós e anseia por nós com zelo (4.5), ele não nos divide com ninguém. Estamos casados com Cristo. Você levaria Cristo para uma sala de jogos, para uma boate, para um show do mundo, para uma intimidade sexual fora do casamento?

Em terceiro lugar, *Tiago fala do diabo* (4.6,7). O pecado predileto do diabo é a vaidade, o orgulho. Ele tenta as pessoas nessa área (4.6,7). Ele tentou Eva e tenta os novos crentes (1Tm 3.6). Deus quer que dependamos dEle

---

[89] PALAU, Luis. *Heart After God.* Portland, Oregon: Multnomah Press, 1978, p. 68.
[90] WIERSBE, Warren. *The Bible Expository Commentary. Vol. 2,* p. 369.

enquanto o diabo quer que dependamos de nós. O diabo gosta de encher a nossa bola. O grande problema da igreja hoje é que temos muitas celebridades e poucos servos. Há tanta vaidade humana que não sobra espaço para a glória de Deus.

Como podemos vencer esses três inimigos? Tiago nos informa que Deus está incansavelmente do nosso lado (4.6). Ele sempre nos dá graça suficiente para vencer. Mas a graça de Deus não nos isenta de responsabilidade. Nos versículos 7-10 há vários mandamentos para obedecer. A graça não nos isenta da obediência. Quanto mais graça, mais obediência.

Tiago menciona quatro atitudes, segundo Warren Wiersbe, que podem nos dar vitória: submissão a Deus, resistência ao diabo, comunhão com Deus e humildade diante de Deus.[91]

Em primeiro lugar, *devemos nos submeter a Deus* (4.7). Essa palavra é um termo militar que significa fique no seu próprio posto, ponha-se no seu lugar. Quando um soldado quer se colocar no lugar do general ele tem grandes problemas. Renda-se incondicionalmente. Ponha todas as áreas da sua vida sob a autoridade de Deus. Por isso um crente rebelde não pode viver consigo nem com os outros. Davi pecou contra Deus, adulterando, mentindo, matando Urias e escondendo o seu pecado. Mas quando ele se humilhou, se submeteu e confessou, encontrou paz novamente com Deus.

Em segundo lugar, *devemos resistir ao diabo* (4.7). O diabo não é para ser temido, mas resistido. Somente quem se submete a Deus pode resistir ao diabo. A Bíblia nos ensina a não dar lugar ao diabo (Ef 4.27).

---

[91] WIERSBE, Warren. *The Bible Expository Commentary. Vol. 2,* p. 369,370.

Em terceiro lugar, *devemos manter-nos perto de Deus* (4.8). Quanto mais perto de Deus ficamos, mais parecidos com Jesus nós nos tornamos. Comunhão com Deus é uma pista de mão dupla. Quando nos chegamos a Deus, ele se chega a nós. Não podemos ter comunhão com Deus e com o pecado ao mesmo tempo (4.8b). Comunhão com Deus implica em purificação (4.8b).

Finalmente, *devemos nos humilhar diante de Deus* (4.9,10). Temos a tendência de tratar o nosso pecado de forma muito leve e condescendente. Tiago exorta-nos a enfrentar seriamente o nosso pecado (4.9). A porta da exaltação é a humilhação diante de Deus (4. 10). Deus não despreza o coração quebrantado (Sl 51.17). Deus olha para o homem que é humilde de coração e treme diante da Sua Palavra (Is 66.2). Quando estamos em paz com Deus, temos paz uns com os outros e então, uma fonte de paz começa a jorrar de dentro de nós!

Capítulo 8

Como conhecer a vontade de Deus para o futuro

(Tiago 4.13-17)

TIAGO COMEÇA O CAPÍTULO 4 falando sobre uma guerra contra o próximo, contra nós mesmos e contra Deus. Ele disse que as guerras entre as pessoas são um desdobramento das tensões que temos dentro de nós mesmos. Ele disse que nessa luta contra Deus enfrentamos a sedução do mundo (4.4), as paixões da carne (4.5,6) e as ciladas do diabo (4.7).

Tiago nos versículos 11, 12 mostra o risco de declararmos guerra contra os irmãos, usando a língua para falar mal uns dos outros. Tiago corrige esse grave pecado mostrando algumas coisas: primeiro, como devemos considerar uns aos outros: como irmãos e como o próximo (v. 11,12). Segundo, somos irmãos, membros da mesma família, e Jesus é o nosso irmão mais velho. Como próximo, devemos cuidar uns dos outros e não falar mal uns dos outros. Terceiro, como devemos considerar a lei: Deus nos deu a lei para nos orientar a amar uns aos outros (2.8). Se falamos mal, nós quebramos o preceito da lei que devíamos obedecer. Se falamos mal, tornamo-nos juízes da lei e não observadores dela. Quarto, como devemos considerar a Deus: Deus é o legislador, o sustentador da vida e o juiz. Quando falamos mal do irmão pecamos contra Deus. Quinto, como devemos considerar a nós mesmos: quando falamos mal do irmão, colocamo-nos numa posição de superioridade (4.12).

Tiago, agora, nos versículos 13-17, vai falar sobre o risco da presunção. A presunção vem de um entendimento errado de nós mesmos e das nossas ambições.[92] A presunção é assegurar a nós mesmos que o tempo está do nosso lado e à nossa disposição.[93] Presunção é fazer os nossos planos como se estivéssemos no total controle do futuro. Presunção é viver como se nossa vida não dependesse de Deus.

A presunção é um sério pecado. Ela envolve tomar em nossas próprias mãos a decisão de planejar e comandar a vida à parte de Deus. A presunção olha para a vida como um contínuo direito e não como uma misericórdia diária.[94] A presunção atinge várias áreas: toca a vida - hoje, amanhã, um ano. Toca as escolhas – "... hoje ou amanhã iremos... passaremos um ano, negociaremos e ganharemos". Toca a habilidade - " negociaremos e ganharemos".[95] Obviamente Tiago não está combatendo a questão do planejamento, mas combatendo o planejamento

[92] MOTYER, J. A. *The Message of James*, p. 160.
[93] MOTYER, J. A. *The Message of James*, p. 160.
[94] MOTYER, J. A. *The Message of James*, p. 162.
[95] MOTYER, J. A. *The Message of James*, p. 160.

sem levar Deus em conta.[96] É claro que a vida é feita de nossas escolhas. Precisamos ter alvos, planos, sonhos, mas não presunção.

Como nós podemos nos proteger da presunção?

Em primeiro lugar, *tendo consciência da nossa ignorância*: "No entanto, não sabeis o que sucederá amanhã" (4.14).

Em segundo lugar, *tendo consciência da nossa fragilidade*: "Que é a vossa vida? Sois um vapor que aparece por um pouco, e logo se desvanece" (4.14).

Em terceiro lugar, *tendo consciência da nossa total dependência de Deus*: "Em lugar disso, devíeis dizer: se o Senhor quiser, viveremos e faremos isto ou aquilo" (v. 15).

Quais são os perigos da presunção? A presunção envolve tomar em nossas próprias mãos o nosso destino (4.16). Também envolve uma declarada desobediência ao conhecido propósito de Deus (4.17).

Podemos afirmar que a vida humana está em certo aspecto sob o controle humano. Precisamos tomar decisões e somos um produto das decisões que fazemos na vida: quem queremos ser, com quem andamos, com quem nos casamos, o que fazemos. Por outro lado, a vida humana, não está em nosso controle. Nós não conhecemos o nosso futuro nem sabemos o que é melhor para nós. Devemos procurar saber quais são os sonhos de Deus para a nossa vida. A verdade incontroversa é que a vida humana está sob o controle divino. Se Deus quiser iremos, compraremos, ganharemos.

Tiago passa em seguida a considerar a sublime questão da vontade de Deus (4.13-17). Warren Wiersbe fala sobre as três atitudes que uma pessoa tem diante da vontade de Deus: ignorá-la, desobedecê-la ou obedecê-la.[97]

---

[96] BOYCE, James Montgomery. *Creio sim, mas e daí?* p. 100.

[97] WIERSBE, Warren. *The Bible Expository Commentary. Vol. 2*, p. 371-374.

Alguns ignoram a vontade de Deus (Tg 4.13,14,16)

Warren Wiersbe, ainda, apresenta quatro argumentos para revelar a tolice de se ignorar a vontade de Deus: a complexidade, a incerteza, a brevidade e a fragilidade da vida.[98]

Em primeiro lugar, vejamos *a complexidade da vida* (4.13). Pense em tudo o que envolve a vida: hoje, amanhã, comprar, vender, ter lucros, perder, estar aqui, ali. A vida é feita de pessoas e lugares, atividades e alvos, dias e anos. Todos nós tomamos decisões cruciais dia após dia.

Em segundo lugar, *a incerteza da vida* (4.14a). Esta expressão é baseada em Provérbios 27.1: "Não te glories do dia de amanhã; porque não sabes o que produzirá o dia". Esses negociantes estavam fazendo planos seguros para um ano, enquanto não podiam ter garantia de um dia sequer. Eles diziam: nós iremos, nós permaneceremos, nós compraremos e teremos lucro. Essa postura é a mesma que Jesus reprovou na parábola do rico insensato em Lucas 12.16-21. Aquele que pensa que pode administrar o seu futuro é tolo. A vida não é incerta para Deus, mas é incerta para nós. Somente quando estamos dentro da vontade de Deus é que podemos ter confiança no futuro.

Em terceiro lugar, *a brevidade da vida* (4.14b). Tiago compara a duração da vida com uma neblina. O livro de Jó revela de forma clara a brevidade da vida: 1) "Os meus dias são mais velozes do que a lançadeira do tecelão..." (Jó 7.6); 2) "...nossos dias sobre a terra são uma sombra" (Jó 8.9); 3) "...os meus dias são mais velozes do que um corredor" (Jó 9.25); 4) "O homem, nascido da mulher, é de poucos dias e cheio de inquietação. Nasce como a flor, e murcha; foge também como a sombra, e não

[98] WIERSBE, Warren. *The Bible Expository Commentary. Vol. 2*, p. 371.

permanece" (Jó 14.1,2). Moisés diz: "...acabam-se os nossos anos como um suspiro... pois passa rapidamente, e nós voamos" (Sl 90.9,10). Porque a vida é breve não podemos desperdiçá-la nem vivê-la na contra-mão da vontade de Deus.

Em quarto lugar, *a fragilidade da vida* (4.16). A presunção do homem apenas tenta esconder a sua fragilidade. O homem não pode controlar os eventos futuros. Ele não tem sabedoria para ver o futuro nem poder para controlar o futuro. Portanto, a presunção é pecado, é fazer-se de Deus. Em suma, qualquer tentativa para achar segurança longe de Deus é uma ilusão.[99]

Alguns desobedecem à vontade de Deus (Tg 4.17).

Conhecimento implica em responsabilidade. As pessoas conhecem a vontade de Deus, mas deliberadamente a desobedecem. Nosso pecado torna-se mais grave, mais hipócrita e mais danoso do que o pecado de um incrédulo ou ateu.[100] Mais grave porque pecamos contra um maior conhecimento. Mais hipócrita porque declaramos que cremos, mas desobedecemos. Mais danoso porque os nossos pecados são mestres do pecado dos outros.[101] O apóstolo Pedro diz: "Porque melhor lhes fora não terem conhecido o caminho da justiça, do que, conhecendo-o, desviarem-se do santo mandamento que lhes fora dado" (2Pe 2.21).

Por que as pessoas que conhecem a vontade de Deus, deliberadamente a desobedecem? Em primeiro lugar, por orgulho. O homem gosta de considerar-se o dono do seu

[99] BOYCE, James Montgomery. *Creio sim, mas e daí?* p. 97.

[100] BAXTER, Richard. *The Reformed Pastor.* Pennsylvania: The Banner of Truth, 1999, p. 76,77.

[101] SHAW, John. *The Character of a Pastor According to God's Heart Considered.* Morgan, Pennsylvania: Soli Deo Gloria Publications, 1998, p. 5,6.

próprio destino, o capitão da sua própria alma. Em segundo lugar, pela ignorância da natureza da vontade de Deus. Muitas pessoas têm medo da vontade de Deus. Pensam que Deus vai fazê-las miseráveis e infelizes. Mas a infelicidade reina onde o homem está fora da vontade de Deus. O lugar mais seguro para uma pessoa estar é no centro da vontade de Deus.

O que acontece àqueles que deliberadamente desobedecem a vontade de Deus? Eles são disciplinados por Deus até se submeterem (Hb 12.5-11). Eles perdem recompensas espirituais (1Co 9.24-27). Finalmente, eles sofrerão conseqüências sérias na vinda do Senhor (Cl 3.22-25).

Outros obedecem a vontade de Deus (Tg 4.15)

A comida de Jesus era fazer a vontade do Pai (Jo 4.34). A vontade de Deus é que dirigia sua vida. A vontade de Deus é que Seu povo se alegre, ore e dê graças em tudo (1Ts 5.16-18). Deus revela a Sua vontade para todos aqueles que desejam obedecê-la: "Se alguém quiser fazer a vontade de Deus, há de saber se a doutrina é dele..." (Jo 7.17). Nós devemos procurar compreender qual é a vontade do Senhor. O apóstolo Paulo ordena: "Por isso, não sejais insensatos, mas entendei qual seja a vontade do Senhor" (Ef 5.17). Nós devemos experimentar a vontade de Deus (Rm 12.2). Nós devemos fazer a vontade de Deus de todo o nosso coração (Ef 6.6).

Quais são as recompensas daqueles que fazem a vontade de Deus? Eles se regozijam em profunda comunhão com Cristo (Mc 3.35), têm o privilégio de conhecer a verdade de Deus (Jo 7.17), têm suas orações respondidas (1Jo

5.14,15) e a garantia de uma gloriosa recompensa na volta de Jesus (Mt 25.34).

Qual é a nossa atitude em relação à vontade de Deus? Ignoramo-la? Conhecemo-la, mas deliberadamente a desobedecemos ou obedecemo-la com alegria? Quem obedece a vontade de Deus pode até não ter uma vida fácil, mas certamente terá uma vida mais santa, segura e feliz.

Capítulo 9

Como avaliar o poder do dinheiro

(Tiago 5.1-6)

O dinheiro hoje domina as casas de leis, os palácios dos governos e as cortes do judiciário. O dinheiro é o maior deus deste mundo. Por ele as pessoas roubam, mentem, corrompem, casam-se, divorciam-se, matam e morrem.

O dinheiro é mais do que uma moeda, ele é um espírito, um deus, ele é Mamom. Ninguém pode servir a Deus e ao dinheiro. Ele é o mais poderoso dono de escravos do mundo.

O problema não é possuir dinheiro, mas ser possuído por ele. O dinheiro é um bom servo, mas um péssimo patrão. Não é pecado ser rico. A riqueza é uma bênção. Davi disse que riquezas e glórias vêm de Deus (1Cr 29.12). Moisés disse que é Deus quem nos dá sabedoria para adquirirmos riqueza (Dt 8.18). O problema é colocar o coração na riqueza. A raiz de todos os males não é o dinheiro, mas o amor ao dinheiro (1Tm 6.10).

Vivemos hoje uma economia global. A máquina econômica gira numa velocidade caleidoscópica. Precisamos trabalhar mais e consumir mais. Os luxos do ontem se tornaram as necessidades do hoje. Mas o sistema pede não apenas mais do nosso dinheiro, mas também mais do nosso tempo. Coisas estão se tornando mais importantes do que pessoas. Estamos substituindo relacionamentos por coisas materiais. Muitas pessoas estão construindo um patrimônio colossal, mas estão perdendo a família. Nenhum sucesso compensa o fracasso da família.

Os ricos estão se tornando cada vez mais opulentos e os pobres cada vez mais desesperados. 50% das riquezas do mundo estão nas mãos de apenas algumas centenas de empresas. Há empresas mais ricas que alguns países. A GM é mais rica que a Dinamarca. A Toyota é mais rica que a África do Sul. A FORD é mais rica que a Noruega. O Wal-Mart é mais rico que 161 países. Bill Gates, no ano 2000, teve uma renda líquida de 400 milhões de dólares por semana.

A corrupção está instalada na medula de nossa nação. Sentimos vergonha ao ver tanto escândalo financeiro, tantos esquemas de corrupção instalados nos corredores do poder, quando os recursos que deveriam vir para aliviar o sofrimento do pobre são saqueados pelas ratazanas que roem incansavelmente as riquezas da nação. Estamos sendo espoliados pelos drácula que, insaciáveis, chupam o sangue do povo.

A palavra de Tiago é mais do que oportuna. Deveria ocupar as manchetes dos jornais. Deus observa o que está acontecendo. Tiago está falando do uso e do abuso das riquezas.[102] Ele está falando de salários retidos, luxo, vida nababesca e atos específicos do mal. É o efeito dominó. Uma coisa leva à outra.[103] Os ricos estão retendo o fruto do trabalho do pobre. Os ricos estão vivendo no luxo, em virtude de terem explorado os pobres. Os ricos estão oprimindo e matando os pobres. Tiago diz que isso está sendo visto por Deus. J. A. Motyer entende que essa descrição de Tiago não se refere aos ricos cristãos, visto que não existe nenhum chamado ao arrependimento. Também, o versículo 7, faz um contraste entre os ricos e a reação que os irmãos deveriam ter diante da exploração deles.[104]

Como a riqueza foi adquirida (Tg 5.4,6a)

A Bíblia não proíbe o homem de ser rico, se essa riqueza vem como fruto da bênção de Deus e do trabalho honrado (Sl 112; Pv 10.4). Abraão e Jó eram homens ricos e também piedosos. O que a Bíblia proíbe é adquirir riquezas por meios ilícitos e para propósitos ilícitos.[105] Amós 2.6 condena o adquirir riquezas ilícitas e Isaías 5.8 condena o adquirir com propósitos ilícitos.

Não é pecado ser rico. Não é pecado ser previdente. Não é pecado usufruir as benesses da riqueza. O pecado está ligado à origem, ao meio e ao fim da riqueza.

Tiago fala que os ricos que ajuntaram riqueza ilícita enfrentarão a inevitabilidade do juízo de Deus (5.1). O luxo de hoje torna-se desventura amanhã (5.1). O primeiro pecado que Tiago condena é a atitude egoísta de acumular a riqueza para si. Tanto as vestes como o dinheiro estão

[102] MOTYER, J. A. *The Message of James,* p. 163.
[103] BOYCE, James Montgomery. *Creio sim, mas e daí?* p. 113.
[104] MOTYER, J. A. *The Message of James,* p. 164.
[105] WIERSBE, Warren. *The Bible Expository Commentary. Vol. 2,* p. 374.

sendo acumulados para o desperdício e não mais para o uso.[106] Esse espírito ganancioso é pura tolice. Ele leva a pessoa a pensar que a vida é só o aqui e agora.[107] Os ricos vivem como se não houvesse o céu para ganhar ou o inferno para fugir.[108]

A segurança do dinheiro é falsa. A alegria que ele proporciona é fugaz (5.1). O apóstolo Paulo retrata esse fato de forma contundente em 1Tm 6.6-10,17-19.

Tiago menciona duas formas pecaminosas como os ricos adquiriram suas riquezas: retendo o salário dos trabalhadores e controlando as coortes.[109] Vejamos a abordagem de Tiago:

Em primeiro lugar, os ricos tornaram-se opulentos *retendo o salário dos trabalhadores com fraude* (5.4). Os ricos não apenas estavam retendo o salário dos trabalhadores, mas estavam retendo o salário deles com *fraude*. Os ricos estavam sendo desonestos com os pobres. A origem da riqueza deles era fraudulenta.[110] Eles estavam ricos por roubar dos pobres (Pv 22.16,22). A lei de Moisés proibia ficar com o salário do trabalhador até à noite: "Não oprimirás o trabalhador pobre e necessitado, seja ele de teus irmãos, ou dos estrangeiros que estão na tua terra e dentro das tuas portas. No mesmo dia lhe pagarás o seu salário, e isso antes que o sol se ponha; porquanto é pobre e está contando com isso; para que não clame contra ti ao Senhor, e haja em ti pecado" (Dt 24.14,15). Prossegue Moisés: "Não oprimirás o teu próximo, nem o roubarás; a

---

[106] MOTYER, J. A. *The Message of James*, p. 165.

[107] Mt 25.24-30; Lc 12.15-21; 1Tm 6.17-19.

[108] MOTYER, J. A. *The Message of James*, p. 168.

[109] WIERSBE, Warren. *The Bible Expository Commentary. Vol. 2*, p. 374,375.

[110] MOTYER, J. A. *The Message of James*, p. 166.

paga do jornaleiro não ficará contigo até pela manhã" (Lv 19.13). Os trabalhadores foram contratados por um preço, e fizeram o seu trabalho, mas não receberam. O crente precisa ser honesto para pagar suas dívidas e cumprir com os seus compromissos financeiros.

Além de roubar dos pobres, os ricos são condenados também por viverem regaladamente (5.5). Eles vivem em extravagante conforto, com o dinheiro que eles roubaram dos pobres famintos. Os ricos viviam além das fronteiras do conforto, eles viviam no território dos vícios, onde nunca negavam a si mesmos qualquer prazer.[111]

Em segundo lugar, os ricos estavam cada vez mais opulentos *controlando as coortes* (5.6a). A regra de ouro do mundo é que aqueles que têm o ouro é que fazem as regras.[112] Os ricos se fortalecem porque compram as sentenças, subornam os tribunais e assim oprimem ainda mais os pobres que não podem oferecer resistência. Tiago chama a vítima de "o justo". Os ricos roubam-lhe os bens, negam-lhe os direitos, abafam-lhe a voz. Os ricos compram os tribunais, torcem as leis, violam a justiça, oprimem os fracos e fecham-lhes a porta da esperança.

Nos versículos 2,3 e no versículo 5 há o uso egoísta da riqueza (acúmulo e luxúria), cada um dos versículos é seguido por uma condenação dessa prática (v. 4 e 6). Os ricos condenam os pobres nos tribunais (2.6 e 5.6). Na diáspora os crentes foram dispersos e perderam seus bens, propriedades, casas (1.1).

Judas vendeu Jesus por dinheiro. Os ricos compravam as sentenças contra os pobres por dinheiro e assim condenavam e matavam os justos (Am 2.6). Quando Deus

[111] MOTYER, J. A. *The Message of James*, p. 167.
[112] WIERSBE, Warren. *The Bible Expository Commentary. Vol. 2*, p. 375.

estabeleceu Israel em sua terra, deu ao povo um sistema de cortes (Dt 17.8-13). Ele advertiu os juízes para não serem gananciosos (Êx 18.21). Os juízes não podiam ser parciais ao julgar entre os ricos e os pobres (Lv 19.15). Nenhum juiz podia tolerar perjúrio (Dt 19.16-19). O suborno era condenado pelo Senhor (Is 33.15; Mq 3.11; 7.3). Amós denunciou os juízes que vendiam sentenças por suborno (Am 5.12,13). Os pobres não tinham como resistir os ricos. Eles controlavam as próprias cortes. Eles só podiam apelar para Deus, o justo juiz.

Como a riqueza foi empregada (Tg 5.3-5)

Já é uma coisa condenável adquirir riquezas de forma ilegal, imoral e pecaminosa, mas maior delito ainda é usar essas riquezas de forma também pecaminosa.[113] Tiago cita três formas pecaminosas de usar as riquezas:

Em primeiro lugar, *eles acumularam de forma avarenta as riquezas* (5.3). Não há nenhum pecado em ser previdente, fazer investimentos e em prover para si, para a família e para ajudar outros (2Co 12.14; 1Tm 5.8; Mt 25.27). Mas é pecaminoso acumular o que não é nosso. Eles ajuntavam o que deviam pagar aos trabalhadores. Anos depois, os romanos saquearam todos os seus bens e suas riquezas foram espoliadas.

É uma grande tragédia uma pessoa ajuntar tesouros para os últimos dias e não ajuntar tesouros no céu. Confiar na provisão e não no provedor é um pecado. Quem assim age, vive como se nossa pátria fosse a terra e não o céu (Lc 12.15-21). Confiar na instabilidade da riqueza ou na transitoriedade da vida é tolice (4.14; 1Tm 6.17). A vida de um homem não consiste na quantidade de bens que ele possui (Lc 12.15).

[113] WIERSBE, Warren. *The Bible Expository Commentary. Vol. 2*, p. 375.

Em segundo lugar, *eles mantiveram os necessitados longe do benefício de suas riquezas* (5.4). Os ricos não apenas acumularam riquezas, guardando ganaciosamente suas moedas ao ponto de ajuntar ferrugem, mas estavam armazenando também o salário dos ceifeiros. Eles não estavam sendo fiéis na mordomia dos bens. Eles estavam sendo fraudulentos. O roubo é pecado. Deixar de pagar salários justos e reter os salários ardilosamente é um grave pecado aos olhos de Deus.

Em terceiro lugar, *eles estavam vivendo na luxúria enquanto os pobres estavam morrendo* (5.5). A palavra luxúria (*triphao)* só é encontrada aqui em todo o Novo Testamento. Essa palavra significa extravagante conforto. A palavra prazeres (*spatalao*) significa entregar-se aos prazeres e aos vícios (1Tm 5.6). As duas palavras juntas significam uma vida sem autonegação, uma vida regalada, desenfreada, sedenta apenas dos prazeres e do conforto. Eles pecaram contra a justiça e contra a temperança. Jesus ilustrou essa atitude nababesca, falando sobre o rico que vivia regaladamente em seus banquetes sem se importar com o pobre ou mesmo com o destino da sua alma (Lc 16.19-31).

Qual é o destino final da riqueza? (Tg 5.1-4)

Tiago menciona as conseqüências do mau uso das riquezas. Warren Wiersbe, comentando o texto, fala sobre quatro dessas conseqüências: as riquezas acabam, elas destroem o caráter, elas atraem o juízo e elas revelam a perda de grandes oportunidades.[114]

Em primeiro lugar, *as riquezas mal usadas irão desvanecer* (5.2,3a). Nada daquilo que é material permanecerá para sempre neste mundo. As sementes da morte estão

[114] WIERSBE, Warren. *The Bible Expository Commentary. Vol. 2*, p. 376,377.

presentes em tudo aquilo que está neste mundo. É uma grande tolice pensar que a riqueza possa trazer estabilidade permanente. Assim diz o apóstolo Paulo: "Manda aos ricos deste mundo que não sejam altivos, nem ponham a sua esperança na incerteza das riquezas, mas em Deus, que nos concede abundantemente todas as coisas para delas gozarmos" (1Tm 6.17).

Além disso, a vida é passageira: "Sois um vapor que aparece por um pouco, e logo se desvanece" (4.14) e não podemos levar nada desta vida: "Porque nada trouxemos para este mundo, e nada podemos daqui levar" (1Tm 6.7). Jesus disse para o rico insensato: "... insensato, esta noite te pedirão a tua alma; e o que tens preparado, para quem será?" (Lc 12.20).

Em segundo lugar, *as riquezas mal usadas destroem o caráter* (5.3). Diz Tiago: "O vosso ouro e a vossa prata estão enferrujados; e a sua ferrugem dará testemunho contra vós, e devorará as vossas carnes como fogo...". Este é o julgamento presente na riqueza. O veneno da riqueza infectou a pessoa e ela está sendo devorada viva. A cobiça leva a pessoa a transgredir todos os outros mandamentos. Ló, ao se tornar rico, pôs sua vida e família a perder-se. Diz Deus: "... se as vossas riquezas aumentarem, não ponhais nelas o coração" (Sl 62.10). O bom nome é melhor do que as riquezas (Pv 22.1). A piedade com contentamento é grande fonte de lucro (1Tm 6.6). O casamento feliz é melhor do que finas jóias.

Em terceiro lugar, *as riquezas mal usadas acarretam o inevitável julgamento de Deus* (5.1,3,5). Tiago viu não apenas o presente julgamento (as riquezas sendo devoradas e o caráter sendo destruído), mas também ele falou do julgamento futuro diante de Deus (5.1,9). Jesus é o reto juiz e ele julgará retamente. Todos vão comparecer diante do tribunal de Cristo para dar conta de suas vidas.

Veja as testemunhas que Deus vai chamar nesse julgamento: Primeiro, as suas próprias riquezas enferrujadas e suas roupas comidas de traça vão testemunhar contra eles no juízo (5.3), revelando a avareza de seus corações. Há uma ironia aqui: os ricos armazenam suas riquezas para protegê-los e elas serão contra eles para condená-los. Segundo, o salário retido com fraude dos ceifeiros vai testemunhar contra eles (5.4). O dinheiro tem voz. Ele fala e sua voz chega ao céu, aos ouvidos do Senhor dos Exércitos. Deus ouviu o sangue de Abel e ouve o dinheiro roubado dos trabalhadores. Terceiro, os trabalhadores irão também testificar contra eles (5.4b). Não haverá chance dos ricos subornarem as testemunhas e o juiz. Deus ouve o clamor do Seu povo oprimido e o julga com justiça.

Em quarto lugar, *as riquezas mal usadas revelam a perda de uma preciosa oportunidade* (5.3). Pense no bem que poderia ter sido feito com essa riqueza acumulada de forma avarenta. Pobres poderiam ter sido assistidos, o reino de Deus expandido, o salário dos ceifeiros pago. O que esses ricos guardaram, perderam anos depois quando Roma começou a perseguir os judeus (64 d.C e 70 d.C.). O dinheiro não deve ser uma arma para controlar e dominar os outros, mas um instrumento para ajudar os necessitados. O que guardamos, perdemos. O que damos, retemos. Uma pessoa pode ser rica neste mundo e pobre no mundo por vir. Pode ser pobre aqui e rica no mundo vindouro (2Co 6.10). O dinheiro fala: o que ele irá testemunhar sobre você no dia do juízo?

Como você tem lidado com o dinheiro: ele é seu dono ou seu servo? Seu coração confia na provisão ou no provedor? Você é honesto no trato com o dinheiro? Você tem alguma coisa em suas mãos que não lhe pertence? Os bens que você tem, foram adquiridos honestamente? Você tem usado seus bens para ajudar outras pessoas, ou você tem acumulado apenas para o seu deleite e conforto?

Capítulo 10

Como compreender o poder da paciência

(Tiago 5.7-12)

TIAGO COMEÇA SUA CARTA com uma chamada à perseverança sob as provações (1.2-4) e termina exortando os crentes a serem pacientes até à vinda do Senhor (5.7,8). As provas, e não as experiências místicas, são o caminho da santificação e do aperfeiçoamento (1.4).[115] Tiago se volta agora dos ricos para os pobres que estavam sendo oprimidos e dá-lhes uma palavra de encorajamento. Eles devem ser pacientes, sabendo que é a Deus que estão servindo e que de Deus é que vem a recompensa.[116] Os pobres são encorajados a confiar no provedor e não na provisão.

[115] MOTYER, J. A. *The Message of James,* p. 172.

[116] BOYCE, James Montgomery. *Creio sim, mas e daí?* p. 125,126.

Tiago diz para os crentes da dispersão que a recompensa é a coroa da vida (1.12); agora, afirma que a recompensa é a vinda de Cristo (5.7,8). No começo, o caminho da perfeição é a oração (1.5) e no final da carta, ele volta ao mesmo tópico (5.13-18). No começo oramos por nós, no fim oramos pelos outros.

Tiago fala da segunda vinda de Cristo sob dois aspectos: como uma alegre esperança (5.7,8 e 10,11) e como uma temível expectativa (5.9,12). Para os salvos, o Senhor vem trazendo compaixão e misericórdia (5.11); para os ímpios o Juiz vem trazendo julgamento (5.9,12).[117] Tiago diz que a vinda do Senhor está próxima (5.8) e o juiz está às portas (5.9). Ao mesmo tempo em que a vinda do Senhor será um dia glorioso para o Seu povo, será também o terrível dia do Senhor para os ímpios.

Certo fazendeiro zombava dos crentes, trabalhando em frente à igreja no domingo. Colheu mais que os crentes e mandou uma carta para o jornal explicando sua posição: "Enquanto os crentes iam para a igreja eu trabalhei. Colhi mais que eles. Deus não me castigou. O que vocês pensam disso?" O jornalista publicou a carta e colocou uma nota de rodapé: Deus não ajusta suas contas na colheita.[118] James Boyce ainda diz: "Nós podemos passar por perseguições, enfrentar problemas, atravessar períodos de angústia, ver os maus prosperando, enquanto nós estamos sofrendo. Mas isso não é tudo. Um dia Deus acertará as contas".[119]

A vinda do Senhor é um sinal de alerta sobre o perigo do mau uso da língua. Devemos ter cuidado para não

---

[117] MOTYER, J. A. *The Message of James*, p. 176.
[118] BOYCE, James Montgomery. *Creio sim, mas e daí?* p. 126.
[119] BOYCE, James Montgomery. *Creio sim, mas e daí?* p. 126.

nos queixarmos uns dos outros (5.9). Também devemos ter cuidado para não fazermos juramentos impróprios (5.12). É mais fácil fazer um voto do que cumpri-lo. Mas ao fazermos um voto, devemos cumpri-lo, porque Deus não gosta de tolos (Ec 5.4). É mais importante ser real do que dramático. Nosso sim deve significar sim e o nosso não deve significar não. Devemos ser íntegros em nossa palavra. Não podemos ser pessoas divididas internamente. Devemos nos livrar da mente dupla. Devemos ser íntegros com Deus e com os homens e praticar uma devoção à verdade, se é que ela habita em nós.

A vinda do Senhor está próxima (5.8), está às portas (5.9). Enquanto Jesus não volta não esperamos vida fácil neste mundo (Jo 16.33). Paulo nos lembra que é em meio a muita tribulação (At 14.22). Devemos ser pacientes até Jesus voltar.

Mas como podemos experimentar esse tipo de paciência até Jesus voltar? Tiago dá três exemplos de paciência para encorajar os crentes:

A paciência do lavrador (Tg 5.7-9)

Se uma pessoa é impaciente, ela nunca deve ser um agricultor.[120] O agricultor planta a semente certa, no campo certo, no tempo certo, sob as condições certas. A semente nasce, cresce, floresce e frutifica. O agricultor não tem nenhum controle sobre o tempo. Muita chuva pode danificar a lavoura. Falta de chuva pode pôr toda a colheita a perder.

O agricultor na Palestina dependia totalmente das primeiras chuvas que vinham em outubro (para o plantio), e das últimas chuvas que vinham em março (para a colheita).[121]

[120] WIERSBE, Warren. *The Bible Expository Commentary. Vol. 2*, p. 378.
[121] MOTYER, J. A. *The Message of James*, p. 180.

O tempo está fora do seu controle. Ele tem que confiar e esperar. É Deus quem faz a semente brotar, germinar, crescer e frutificar. Ele não pode fazer nada nesse processo (Mc 4.26-29).

Por que o agricultor espera? Porque o fruto é precioso (5.7). "E não nos cansemos de fazer o bem, porque a seu tempo ceifaremos, se não houvermos desfalecido" (Gl 6.9). Tiago descreve o crente como um agricultor espiritual que procura uma colheita espiritual. "Sede vós também pacientes; fortalecei os vossos corações, porque a vinda do Senhor está próxima" (5.8).

O nosso coração é o solo. A semente é a Palavra de Deus. Há estações para a vida espiritual, como há estações para o solo. Muitas vezes nosso coração se torna seco e cheio de espinhos (Jr 4.3). Então Deus manda a chuva da sua bondade e rega a semente plantada, mas devemos ser pacientes para esperar a colheita.

Deus está procurando frutos em nossa vida (Lc 13.6-9). Devemos produzir o fruto do Espírito (Gl 5.22,23). E o único meio de darmos frutos doces é sermos provados (1.2-4). Em vez de ficarmos impacientes, devemos saber que Deus está trabalhando em nós.

Você só pode se alegrar nessa colheita espiritual, se o seu coração estiver fortalecido (5.8). Um coração instável não produz fruto. Um agricultor está sempre trabalhando em sua lavoura. Deus está trabalhando em nós para tirar de nós uma colheita abundante. Um lavrador não vive brigando com os seus vizinhos. Ele está cuidando da sua própria lavoura. Não devemos perder o foco e viver falando mal uns dos outros (5.9).

A paciência dos profetas (Tg 5.10)

Os profetas foram homens que andaram com Deus, ouviram a voz de Deus, falaram em nome de Deus, mas passaram também por grandes aflições. Eles trilharam o caminho estreito das provas e foram pacientes. Privilégio e provas caminharam juntos na vida dos profetas. Privilégio e sofrimento; sofrimento e ministério caminharam lado a lado na vida dos profetas.

Isaías não foi ouvido pelo seu povo. Ele foi serrado ao meio. Jeremias foi preso, jogado num poço e maltratado por pregar a verdade. Ele viu o cerco de Jerusalém e chorou ao ver o seu povo sendo destruído. Daniel foi banido da sua terra e sofreu pressões quando jovem. Sofreu ameaça e perseguição por causa da sua fidelidade a Deus, a ponto de ser jogado na cova dos leões. Ezequiel também foi duramente perseguido. Estêvão denunciou o sinédrio: "A qual dos profetas não perseguiram vossos pais? Até mataram os que dantes anunciaram a vinda do Justo, do qual vós agora vos tornastes traidores e homicidas" (At 7.52).

Jesus disse: "Bem-aventurado sois vós, quando vos injuriarem e perseguirem e, mentindo, disserem todo mal contra vós por minha causa. Alegrai-vos e exultai, porque é grande o vosso galardão nos céus; porque assim perseguiram aos profetas que foram antes de vós" (Mt 5.11,12). Quando você estiver enfrentando sofrimento, não coloque em dúvida o amor de Deus, pois pessoas que andaram com Deus como você, também passaram pelas aflições. Seja paciente!

O apóstolo Paulo diz: "E na verdade todos os que querem viver piamente em Cristo Jesus padecerão perseguições" (2Tm 3.12). Nem sempre a obediência a Deus produz vida fácil! Se a igreja for mais perseguida, será mais fiel? Não. Se ela for mais fiel será mais perseguida. Isso significa que Deus não nos poupa das aflições, mas Ele nos assiste nas aflições. Elias anunciou ao ímpio rei Acabe que a seca viria sobre Israel. Ele também sofreu as conseqüências da seca, mas Deus cuidou dele e lhe deu vitória sobre os ímpios.

A vontade de Deus jamais levará você onde a graça de Deus não possa lhe sustentar. A nossa paciência em tempos de prova é um poderoso testemunho do evangelho àqueles que vivem ao nosso redor. O apóstolo Paulo escreve: "Porquanto tudo que dantes foi escrito, para nosso ensino foi escrito, para que, pela constância e pela consolação provenientes das Escrituras, tenhamos esperança" (Rm 15.4). Quanto mais conhecemos a Bíblia, mais Deus pode nos consolar em nossas tribulações.

Como um agricultor, devemos continuar trabalhando e como os profetas, devemos continuar testemunhando.

A paciência de Jó (Tg 5.11,12)

Tiago diz: "Eis que chamamos bem-aventurados os que suportaram aflições..." (5.11). Mas você não pode perseverar a não ser que haja provas em suas vida. Não há vitória sem luta. Não há picos sem vales. Se você deseja a bênção, você tem que estar preparado para carregar o fardo e entrar nessa guerra.

Certa feita ouvi um cristão orar: "Oh Deus, ensina-me as profundezas da Tua Palavra. Eu desejo ser arrebatado até o terceiro céu e ver e ouvir as coisas maravilhosas que Tu tens lá". Embora a oração tenha sido sincera, ela partiu de um crente imaturo. Paulo foi arrebatado até o terceiro céu; ele viu e ouviu coisas gloriosas demais para contar. E como resultado, Deus colocou um espinho em sua carne para mantê-lo humilde (2Co 12.1-10). Tem que existir um equilíbrio entre privilégios e responsabilidades, bênçãos e provas.

O livro de Jó pode ser dividido assim: 1) As perdas de Jó (1-3); 2) As acusações contra Jó e sua defesa contra os ataques de seus amigos (4-31); 3) A restauração de Jó (38-42). As circunstâncias estavam contra Jó; os homens estavam também contra ele; a sua esposa, de igual forma, ficou contra ele; seus amigos estavam contra ele. Satanás estava contra ele. Ele pensou que Deus também estava contra ele. Mesmo assim, ele perseverou! Ele provou que um homem pode amar a Deus acima dos bens, da família e da própria vida. Jó derrubou todas as teses de Satanás.

Jó era um homem piedoso, justo, próspero, bom pai, sacerdote da família, preocupado com a glória de Deus. O próprio Deus dá testemunho a seu respeito. Deus o constitui Seu advogado na terra. Satanás prova Jó com a permissão de Deus. Jó perdeu todos os seus bens, perdeu todos os seus filhos e perdeu também a sua saúde (Jó 1.22; 2.10). Jó perdeu o apoio da sua mulher. Jó perdeu o apoio dos seus amigos. Jó faz 16 vezes a pergunta: por quê? Jó expressa sua queixa 34 vezes. Mas no auge da sua dor, ele disse para Deus: "Ainda que Deus me mate, ainda assim, esperarei nele..." (Jó 13.15).

Deus restaura a sorte de Jó, dando-lhe o dobro dos bens. Por que não deu o dobro dos filhos? Porque quando os animais foram embora, eles realmente foram. Eles não tinham almas imperecíveis. Mas quando os filhos foram fisicamente, eles na verdade não foram. Eles estavam com Deus no céu. Assim, agora, Jó tem dez filhos no céu e dez filhos na terra. Em tudo isso Jó triunfou.[122]

[122] BOYCE, James Montgomery. *Creio sim, mas e daí?* p. 134.

Jó esperou pacientemente no Senhor e Deus o honrou. Ele não explicou nada para Jó, mas apesar de Jó não conhecer os porquês de Deus, ele pôde conhecer o caráter de Deus (Jó 42.5). A maior bênção que Jó recebeu não foi saúde e riqueza, mas um conhecimento mais profundo de Deus. Isso é a própria essência da vida eterna (Jo 17.3).

O livro de Jó nos prova que Deus tem propósitos mais elevados no sofrimento do que apenas punir o pecado.[123] O propósito de Deus no livro de Jó é revelar-se como o Deus cheio de bondade e misericórdia (Jó 5.11). Jó passou a conhecer o Senhor de uma forma nova e mais profunda. O propósito de Satanás era fazer de Jó um homem impaciente com Deus. Isto porque um homem impaciente com Deus é uma arma nas mãos do maligno. Mas o propósito de Deus em permitir Jó sofrer foi fortalecê-lo e fazer dele uma bênção maior para o mundo inteiro.

Tiago deseja encorajar-nos a sermos pacientes em tempos de provas. Como um agricultor, devemos esperar por uma colheita espiritual, por frutos que glorifiquem a Deus. Como os profetas, devemos procurar oportunidades para testemunhar mesmo no meio do sofrimento. Como Jó, devemos esperar para que o Senhor complete Seu amoroso propósito em nós, mesmo em meio ao sofrimento.

---

[123] WIERSBE, Warren. *The Bible Expository Commentary. Vol. 2,* p. 380.

Capítulo 11

Como usar a eficácia da oração

(Tiago 5.13-20)

SETE VEZES NESTE PARÁGRAFO Tiago menciona a oração. Um cristão maduro é aquele que tem uma vida plena de oração diante das lutas da vida. Em vez de ficar amargurado, desanimado, reclamando, ele coloca a sua causa diante de Deus e Deus responde ao seu clamor.

Tiago escreve uma carta prática e, por isso, ele começa e termina esta carta com oração. Desperdiçamos tempo e energia quando tentamos viver a vida sem oração.

Neste parágrafo Tiago encoraja-nos a orar.

Devemos orar pelos que sofrem (Tg 5.13)

Tiago destaca três verdades fundamentais nesse versículo.

Em primeiro lugar, *nos problemas não devemos murmurar, mas orar.* O sofrimento aqui é provado por circunstâncias adversas: saúde, finanças, família, relacionamentos, decepções. Em vez de murmurar contra Deus ou falar mal dos irmãos (5.9), devemos apresentar essa causa a Deus em oração, pedindo sabedoria para usar essa situação para a glória de Deus (1.5).

Em segundo lugar, *Deus muda as circunstâncias pela oração.* A oração remove o sofrimento. Mas também a oração nos dá poder para enfrentar os problemas e usá-los para cumprir os propósitos de Deus. Paulo orou para Deus mudar as circunstâncias da sua vida, mas Deus lhe deu poder para suportar as circunstâncias (2Co 12.7-10). Jesus clamou ao Pai, com abundantes lágrimas, no Getsêmani, para passar dEle o cálice, mas o Pai lhe deu forças para suportar a cruz e morrer pelos nossos pecados.

Em terceiro lugar, *ao mesmo tempo temos pessoas chorando e outras celebrando na igreja.* Ao mesmo tempo há pessoas sofrendo e há pessoas alegres (5.13). Deus equilibra a nossa vida, dando-nos horas de sofrimento e horas de regozijo. O cristão maduro, entretanto, canta mesmo no sofrimento (Jó 35.10). Paulo e Silas cantaram na prisão (At 16.25). Josafá cantou no fragor da batalha (2Cr 20.21). Muitas vezes trafegamos dos caminhos floridos da alegria para os vales do choro num mesmo dia. Mas, mesmo que os nossos pés estejam no vale, nosso coração pode estar no plano (Sl 84.5-7). Pelo poder de Deus, podemos transformar os vales secos em mananciais, o pranto, em alegres cantos de vitória. Quando o diamante é lapidado é que ele reflete sua beleza mais fulgurante. Quando a flor é esmagada é que ela exala o seu mais doce perfume. A alegria mais poderosa é aquela que, muitas vezes, explode banhada pelas lágrimas mais quentes.

Devemos orar pelos enfermos (Tg 5.14-16)

Tiago fala sobre a atitude do enfermo, a atitude dos presbíteros e a atitude dos irmãos.

Em primeiro lugar, *vejamos o que o enfermo faz.* No caso em apreço, parece-nos que Tiago está dizendo que a pessoa está doente por causa do pecado (5.15b,16). Nem toda doença é resultado de pecado pessoal, mas o caso mencionado por Tiago parece-nos retratar uma doença *hamartiagênica*, ou seja, provocada por um comportamento pecaminoso.

O doente reconhece a autoridade espiritual dos presbíteros da igreja (5.14). O crente impossibilitado de ir à igreja chama os presbíteros da igreja à sua casa. O doente reconhece assim, que os presbíteros, e não um homem ou mulher que tem o dom de curar, é que devem orar por ele. J. A. Motyer faz um importante comentário acerca dessa questão da cura,

> Mesmo quando vamos ao médico, nossos olhos continuam firmados no Senhor. Somente Deus tem o poder de curar. Não existe aquilo que se chama de cura não espiritual. Quando o doente toma uma aspirina, é o Senhor que faz a aspirina ser eficaz. Quando um cirurgião opera um paciente, é Deus quem realiza a cura. Todo dom perfeito vem lá do alto. Precisamos ter isso em mente quando examinamos essa convocação dos presbíteros para orar e ungir o enfermo. Tiago não nos diz se está recomendando um complemento ao trabalho do médico ou se o expediente é uma alternativa ao trabalho do médico. Não podemos assumir que Tiago esteja aqui desconsiderando

> ou desaprovando o trabalho do médico, pelo fato de não tê-lo mencionado. Na verdade, o que Tiago enfatizava é que há sempre uma dimensão espiritual na cura. Em nenhuma ocasião um cristão deveria procurar o médico sem procurar a Deus, visto que toda cura vem de Deus, pois é Ele quem sara todas as nossas enfermidades.[124]

Alguns estudiosos, conforme veremos no próximo capítulo, entendem que o uso do óleo consistia no uso dos melhores recursos médicos daquele tempo. Desta forma, o que Tiago estaria defendendo era a oração e o emprego da melhor medicina aceita e consagrada da época. Assim, Tiago estaria recomendando a oração e o remédio. Os dois expedientes devem estar sempre juntos.

Tiago enfatiza também a necessidade de o doente confessar os seus pecados (5.16). A confissão é feita aos santos e não a um sacerdote. Devemos confessar o nosso pecado a Deus (1Jo 1.9) e também àqueles que foram afetados por ele. Jamais devemos confessar um pecado além do círculo que foi afetado por aquele pecado. Pecado privado deve ter confissão privada. Pecado público requer confissão pública. É uma postura errada *lavar roupa suja* em público.

Em segundo lugar, *vejamos o que os presbíteros fazem*: primeiro, eles oram pelo enfermo com imposição de mãos, a oração da fé (5.14,15). Os presbíteros são bispos e pastores do rebanho. Eles velam pelas almas daqueles que lhes foram confiados. Eles oram com imposição de mãos, num gesto de autoridade espiritual. A oração da fé é a oração feita na plena convicção da vontade de Deus (1Jo 5.14,15). Segundo, eles ungem o enfermo com óleo em nome do Senhor (5.14). Não é a unção que cura o

[124] MOTYER, J. A. *The Message of James*, p. 193.

enfermo, mas a oração da fé. Quem levanta o enfermo não é o óleo, é o Senhor. O óleo é apenas um símbolo da ação de Deus.

Em terceiro lugar, *vejamos o que os irmãos fazem* (5.16). Os crentes confessam seus pecados uns aos outros e oram uns pelos outros. Há uma terapia divina quando há confissão, perdão e reconciliação. A oração não é uma prerrogativa apenas dos presbíteros nem é ela direcionada apenas aos enfermos, antes, é um privilégio de todos os crentes. A confissão não é a um sacerdote ou a todos indistintamente. A confissão deve ser feita a Deus e à pessoa ou pessoas diretamente implicadas. J. A. Motyer diz que a posição bíblica acerca da confissão de pecados deve ser resumida da seguinte maneira: "A confissão deve ser feita à pessoa contra quem pecamos, e de quem nós necessitamos e desejamos receber perdão".[125] A mágoa adoece, a confissão traz cura. O ressentimento produz prostração, o perdão restauração.

Devemos crer na eficácia da oração (Tg 5.17,18)

Quando a nação se desvia de Deus, os profetas de Deus devem orar e pregar. Israel se afastou de Deus, e Elias apareceu no cenário para confrontar o rei, o povo, e os profetas de Baal. Elias orou com instância para não chover e as comportas do céu foram fechadas. Depois de três anos e meio, orou, firmado na promessa de Deus, para chover e os céus prorromperam em abundantes chuvas. Os céus se fecharam e se abriram em resposta às orações de Elias. Ele não só falou aos homens, confrontando seus pecados; mas também falou com Deus, clamando por chuva restauradora.

[125] MOTYER, J. A. *The Message of James*, p. 202.

Os crentes, embora sujeitos a fraquezas, podem ter vitória na oração. Elias era homem sujeito às mesmas fraquezas (teve medo, fugiu, sentiu depressão, pediu para morrer), mas era justo e a oração do justo pode muito em sua eficácia. O poder da oração é o maior poder no mundo. A história mostra o progresso da humanidade: poder do braço, poder do cavalo, poder da dinamite, poder da bomba atômica. Mas o maior poder é o poder de Deus que se manifesta através da oração dos justos.

Elias orou fundamentado na promessa de Deus. Em 1Reis 18.1 Deus disse que enviaria a chuva e em 1Reis 18.41-46, Elias orou pela chuva. Não podemos separar a Palavra de Deus da oração. Em Sua Palavra Deus nos dá as promessas pelas quais devemos orar.

Elias orou com persistência. Muitas vezes, nós fracassamos na oração porque desistimos muito cedo, no limiar da bênção.

Elias orou com intensidade. A palavra "instância" (5.17) significa que Elias orou de coração. Ele pôs o seu coração na oração. Devemos orar pela nação hoje, para que Deus traga convicção de pecado sobre o povo e um reavivamento para a igreja.

Devemos nos esforçar pela restauração dos desviados (Tg 5.19,20)

Há sempre o perigo de uma pessoa se desviar de verdade. "Por isso convém atentarmos mais diligentemente para as coisas que ouvimos, para que em tempo algum nos desviemos delas" (Hb 2.1). O resultado desse desvio é pecado e possivelmente a morte (5.20). O pecado na vida de um crente é pior do que na vida de um não crente.

Devemos ajudar os membros que se desviam da verdade. Essa pessoa precisa ser "convertida", ou seja, voltar para o caminho da verdade (Lc 22.32). Precisamos nos esforçar para salvar os perdidos. Mas também precisamos nos esforçar para restaurar os salvos que se desviam. Judas 23 usa a expressão "arrebatando-os do fogo".

Tiago, nesse parágrafo, deu sua última instrução: oração pelos que sofrem, pelos enfermos e cuidado e restauração para os que se desviam. Nosso coração deve estar cheio de compaixão pelos que sofrem, pelos enfermos e pelos que se desviam, para que nossas orações possam subir ao trono da graça em favor deles.

Capítulo 12

Como entender a questão da unção com óleo

(Tiago 5.14)

O AUMENTO DA ÊNFASE atual sobre a relação entre religião e saúde tem despertado um maior interesse a respeito da cura espiritual.[126] Ao mesmo tempo que se agigantam os problemas que afligem a humanidade, deve crescer também a responsabilidade terapêutica da igreja. A questão da unção com óleo está profundamente ligada a essa sublime missão da igreja.

A unção com óleo é um assunto profundamente polêmico e controvertido.[127] Teólogos e eruditos têm debatido o significado desse rito por longo tempo. William MacDonald chegou a afirmar

[126] BOWMAN, Warren D.. *Anoiting for Healing.* No Journal-Bretheren Life and Thought. 3.54-62. 1950, p. 62.

[127] MOO, Douglas J.. *The Letter of James.* England: Apollos Leicester, 1984, p. 278.

que "esta é uma das mais discutidas porções da Epístola de Tiago, e talvez de todo o Novo Testamento".[128] O conceituado escritor J. A. Motyer, na mesma linha de pensamento, disse que "esta passagem sobre a unção com óleo é a mais fascinante em toda a carta de Tiago e uma das que tem provocado o maior número de diferentes opiniões e não pouca controvérsia".[129]

Unção com óleo é uma prática antiga e quase universal. Esse rito tem rompido a fronteira das religiões e vencido a barreira do tempo. Ela é uma prática contemporânea.

Em virtude da diversidade de interpretações e práticas sobre o assunto, é mister definir com mais exatidão o seu real significado à luz da Bíblia.

Existem na igreja protestante prós e contras ao uso do óleo como um símbolo espiritual. Jay E. Adams, por exemplo, é um dos mais ardorosos defensores do uso terapêutico do óleo, em detrimento da sua simbologia espiritual. Nosso entendimento, entretanto, é que o uso do óleo em Tiago 5.14 não é medicinal, mas um símbolo espiritual. Para consubstanciarmos essa tese, analisaremos o referido texto sob a perspectiva histórica, bíblica, exegética e teológica. Vejamos o significado da unção com óleo na história da igreja.

A unção com óleo na igreja primitiva

Vejamos, em primeiro lugar, a questão da unção com óleo na *Igreja Primitiva.* Duas passagens no Novo Testamento abordam a questão da unção com óleo. Marcos 6.13 reporta ao ministério de cura dos discípulos de Cristo: "e

[128] MACDONALD, William. *Believer's Bible Commentary.* Naschville: Thomas Nelson Publishers, 1995, p. 2240.

[129] MOTYER, J. A.. *The Message of James,* England. Downers Grove, Illinois, EUA: Inter-Varsity Press Leicester, 1985, p. 189.

expulsavam muitos demônios, e ungiam muitos enfermos com óleo, e os curavam". Tiago 5.14 esboça a prática da unção com óleo aos enfermos da igreja pelos presbíteros: "Está doente algum de vós? Chame os anciãos da igreja, e estes orem sobre ele, ungindo-o com óleo em nome do Senhor".

Esse tema recebeu pouca atenção nos primórdios da igreja. Rituais para a unção de enfermos podem ser encontrados somente a partir do oitavo século.[130] Muitos crêem que essa ausência de ênfase deve-se ao fato da unção de pessoas enfermas ser uma realidade normalmente aceita no ministério da igreja, ao ponto da sua explanação ser desnecessária.[131]

Os dois exemplos mais antigos de unção, com base em Tiago 5.14 são: 1) O óleo da fé, e 2) A tradição apostólica de Hipólito. *O Óleo da Fé* é um texto aramaico do primeiro século, contendo uma série de longos textos que conectam o tema da cura com o perdão de pecados.[132] Na tradição apostólica de Hipólito (c. 215) há duas notas concernentes ao ministério de cura: primeiro, o bispo era informado sobre a pessoa doente que ele devia visitar; segundo, o óleo precisava ser abençoado pelo bispo, antes de ser aplicado. Essa bênção do bispo colocou o óleo na categoria de um sacramento.[133] Após a consagração sacerdotal, o óleo passou a ter um intrínseco poder de cura.

---

[130] SATTERLLE, Craig A. *The Pastoral Significance of Laying of the Hands and Anoiting the Sick,* Columbus, Ohio: Thesis (S.T.M.) Trinity Lutheran Seminary, 1993, p. 98.

[131] Ibidem, p. 98.

[132] RAHNER, Karl. *Sacramentum Mundi.* Vol. 1. New York: Herder and Herder, 1968, p. 37 e SATTERLLE, Craig A. *The Pastoral Significance of Laying of the Hands and Anoiting the Sick*, p. 98,99.

[133] SATTERLLE, Craig A. *The Pastoral Significance of Laying of the Hands and Anoiting the Sick*, p. 99,100.

Tertuliano mencionou a cura pela unção. Também o imperador romano, Sétimo Severo, creu ter sido curado de uma enfermidade através da unção administrada por um cristão chamado Proculus Torpacion.[134]

Uma definição de cura através da unção pode ser encontrada também no *Sacramentário de Serapião*, onde o óleo é visto como medicinal e também um instrumento para o exorcismo.[135]

Outra questão levantada sobre o assunto era quem poderia administrar o óleo consagrado. O papa Inocêncio I, em sua carta ao bispo Decentius de Gubbio, em Úmbria, escreveu que os cristãos tinham o direito não apenas de serem ungidos pelos clérigos, mas também de usarem o óleo em si mesmos ou nos membros de sua família.[136]

Trezentos anos mais tarde, na Inglaterra, quando o venerável Bede discutiu esse assunto na sua exegese sobre a Epístola de Tiago, ele sustentou a mesma prática para o seu povo, citando a carta de Inocêncio I como confirmação. Ambos, Inocêncio I e Bede, distinguiram dois tipos de unção: a leiga e a sacerdotal. Enquanto a litúrgica unção pelos bispos destinava-se à cura espiritual e física, a unção privada, aplicada pelos leigos em si mesmos ou em seus familiares, só visava a restauração da saúde física.[137] Nesse tempo, quando o óleo era aplicado por um leigo, a tendência era procurar alguém com uma reputação de santidade

---

[134] EXELL, Joseph S. *The Biblical Ilustrator- S. James.* Grand Rapids, Michigan: Baker Book House, 1973, p. 475-478.

[135] DAVIES, G. Henton. *Twentieth Century Bible Commentary.* New York: Harper & Brothers Publishers, 1979, p. 359.

[136] SATTERLLE, Craig A. *The Pastoral Significance of Laying of the Hands and Anoiting the Sick*, p. 101.

[137] SATTERLLE, Craig A. *The Pastoral Significance of Laying of the Hands and Anoiting the Sick*, p. 102.

ou que possuísse o dom de cura.[138] Alguns eruditos católicos romanos, até hoje, chegam ao extremo de defender a idéia de que a cura em Tiago 5.14 não é carismática, mas hierárquica.[139]

Outra questão também discutida na igreja primitiva era onde o óleo da cura deveria ser aplicado. Segundo a tradição de Hipólito, o óleo podia ser aplicado externamente ou recebido internamente. Alguns textos sugerem que o óleo poderia ser aplicado onde a dor era mais intensa ou então, colocado nos lábios do enfermo.[140]

Possivelmente, o fator que mais contribuiu para a mudança do entendimento da igreja sobre o propósito da unção de enfermos foi a oficial tradução latina da Bíblia, feita por S. Jerônimo, *A Vulgata*, obscurecendo o significado da passagem de Tiago 5.14.

"Jerônimo, em sua famosa tradução, escrita por volta do ano 400 d.C., usou a palavra latina teológica *salvar* para traduzir tanto *salvar* como *levantar* em Tiago 5.14. Desta maneira, a atenção da igreja deixou de centralizar-se na cura, para focar-se no que a cura representa simbolicamente. Desde que a Vulgata foi a única tradução oficial usada pela igreja por mais de 1.500 anos, sua influência sobre o entendimento da questão da unção dos enfermos com óleo foi profunda e considerável".[141]

---

[138] GUSMER, Charles W. *Anoiting of the Sick in the Church of England*. No Journal Worship. 46:262-272.1984, p. 19.

[139] O'BOYLE, Patrick A. *New Catholic Encyclopedia*. Philippines Copyright, 1967, p. 565-577.

[140] DAVIES, G. Henton. *Twentieth Century Bible Commentary*, p. 359.

[141] MACNUTT, Francis. *Healing*. Notre Dame, Ave Maria Press, 1974, p. 280.

A unção com óleo na reforma carolíngia

A Reforma Carolíngia, que começou no século 9, estabeleceu o sacerdote como o ministro da unção, transformando-a de um rito para o enfermo num sacramento para a morte.[142]Em função da diminuição do número de curas nesse tempo, o rito da unção foi não apenas restaurado, mas reinterpretado, passando a receber um novo significado, tornando-se finalmente "extrema-unção", uma preparação para a morte, em vez da restauração para a vida.[143] Assim, a unção passou a ter mais relação com o perdão dos pecados do que com a cura física. O concílio de Chalon-Sur-Salone em 813 d.C., reservou a administração da unção somente para os sacerdotes; e, na prática, os receptores dessa unção tinham que estar no portal da morte.

A prática da extrema-unção

Por volta do décimo segundo e décimo terceiro séculos, a prática do adiamento da unção até o momento da morte foi incorporada na doutrina da Igreja Romana, como sendo o sacramento da extrema-unção. Esse sacramento passou a ser visto como um remédio espiritual, cujo efeito era a cura da enfermidade do pecado. Assim, o último propósito da unção do enfermo passou a ser a preparação para a morte em vez da cura para a vida.

Esse dogma católico romano está desprovido de qualquer base bíblica. Tiago está falando do crente enfermo e não do crente no limiar da morte.[144] A palavra grega

---

[142] SATTERLLE, Craig A. *The Pastoral Significance of Laying of the Hands and Anoiting the Sick*, p. 104.

[143] RICHARDSON, Cyril C. *Spiritual Healing in the Light of History.* No Journal Pastoral Psychology. 5:16-20. 1954, p. 18.

[144] GUSMER, Charles W. *Liturgical Traditions of Christian Illness: Rites of the Sick.* No Journal Worship. 46:528-543. 1972, p. 531.

asthenei, usada em Tiago 5.14, não tem a conotação de uma grave enfermidade.[145] Assim, o propósito da unção não é preparar a pessoa para a morte, mas restaurá-la para a vida. Tiago não está falando da cura da alma, mas da restauração do corpo.

O alto escolasticismo

Alberto, o Grande, Tomás de Aquino, Boaventura e Duns Scotto tiveram grande interesse em definir o significado e a quantidade dos sacramentos. Eles concluíram que havia sete sacramentos e que os mesmos tinham um efeito espiritual eficaz e infalível. Obviamente, essa conclusão da quantidade e do conteúdo dos sacramentos da Igreja Romana não possuem amparo nas Escrituras, visto que cinco sacramentos são falsos e dois foram alterados. Assim, a cura, como um infalível efeito da unção, só poderia ser interpretada no sentido espiritual.

Tomás de Aquino, olhando o texto de Tiago 5.14 pelas lentes da hermenêutica romana, entendia que a cura espiritual é o significado básico da unção com óleo. Para sustentar sua posição, ele citou Isaías 1.6 como exemplo.[146] O argumento de Aquino, contudo, é extremamente frágil, tendo em vista que a palavra *aleipho* não aparece na versão grega de Isaías.

O entendimento comum sobre a unção de enfermos no décimo terceiro século era que ela representava perdão de pecados e não cura física. Conseqüentemente, a influência das Escolas de Teologia Dominicana e Franciscana fortaleceu a

[145] GUSMER, Charles W. *Liturgical Traditions of Christian Illness: Rites of the Sick.* No Journal Worship. 46:528-543. 1972, p. 530.

[146] COLLINS, C. John. *James 5.14-16a: What is the Anoiting For?* No JournalPresbyterian. 23.79-91: 1997, p. 88.

idéia de que a pessoa só deveria ser ungida na hora da morte, e isto, não para a restauração da saúde, mas para a remissão dos pecados.[147]

A última tradição medieval culminou em 1439, quando o Concílio de Florença declarou que a pessoa precisa estar em perigo de morte para poder receber o sacramento da extrema-unção.[148]

A interpretação reformada

Os reformadores rejeitaram a doutrina da extrema-unção, considerando-a uma distorção e perversão do texto de Tiago 5.14. Calvino disse que essa passagem de Tiago foi ímpia e ignorantemente pervertida quando a extrema-unção foi estabelecida sobre a sua base.[149] Lutero, que negou o dom da cura para o seu tempo, viveu para ver o seu amigo Myconius ser milagrosamente levantado do leito de morte através de sua oração de fé.[150] Quando Lutero ouviu que seu amigo Myconius estava morrendo, ele caiu de joelhos e orou: "Ó Senhor, meu Deus, não! Não tomes agora o nosso irmão Myconius para Ti. Tua causa ainda precisa dele. Amém". Então Lutero levantou-se e escreveu: "Não há razão para temer, meu querido Myconius, o Senhor não permitirá que você morra agora". Essa carta levantou Myconius do leito da enfermidade de forma milagrosa. A oração de Lutero foi a oração da fé, a oração que pede

[147] SATTERLLE, Craig A. *The Pastoral Significance of Laying of the Hands and Anoiting the Sick*, p. 108,109.

[148] Ibidem, p. 110.

[149] CALVIN, John. *Calvin's Commentaries.* Vol. 22. Grand Rapids, Michigan: Baker Book House, 1979, p. 355,356.

[150] HASTINGS, James. *The Speaker's Bible – James.* Grand Rapids, Michigan: Baker Book House, 1962, p. 206.

sem jamais duvidar. Em 1545 Lutero escreveu instruções sobre a oração por enfermos, mostrando a sua confiança no poder de Deus para curar.

João Calvino, tanto em seu Comentário de Tiago, quanto nas *Institutas*, refutou a doutrina católica romana da extrema-unção, mostrando que Tiago fala da cura do corpo e não da alma, da restauração para a vida e não da preparação para a morte.[151] Calvino entendia que a unção com óleo, descrita em Tiago, tem o mesmo significado do dom extraordinário de cura encontrado em Marcos 6.13. Porém, ele entendia que esse dom foi restrito ao tempo dos apóstolos. Segundo Calvino, se o dom de cura cessou, o seu símbolo, a unção com óleo, também deve cessar.[152] Hoje, tanto nas igrejas luteranas como nas reformadas há um movimento advogando a restauração da unção de enfermos.[153]

A visão dos puritanos segundo Thomas Goodwin

Thomas Goodwin, considerado o mais puro representante do puritanismo inglês do século 17,[154]por outro lado, entendeu a questão da unção com óleo de forma diferente da posição clássica da Reforma. Para Goodwin, unção com óleo em Tiago 5.14 não era nem a extrema-unção, como ensinava a Igreja Católica Romana, nem um dom extraordinário e miraculoso, como entendia Calvino, mas

---

[151] CALVIN, John. *Calvin's Commentaries. Vol. 22,* p. 355,356.

[152] CALVIN, John. *Calvin's Commentaries. Vol. 22,* p. 356; MOO, Douglas J. *The Letter of James.* p. 242.

[153] MARTIN, James Ralph P. *Word Biblical Commentary.* Vol. 48. Waco, Texas: . Word Books Publisher, 1960, p. 102.

[154] SANTOS, Valdeci da Silva. *The Light Beyond the Light of Ordinary Faith: Thomas Goodwin's view on the Seal of the Holy Spirit.*, Jackson, Mississippi: A Thesis Master in Theology, Reformed Theological Seminary, 1997, p. 11.

uma instituição ordinária.[155] Para ele, Tiago 5.14 não tem o mesmo significado de Marcos 6.13, como entendia João Calvino. Enquanto Marcos fala de um dom miraculoso e extraordinário, Tiago está falando de uma instituição ordinária. Para sustentar sua tese, Goodwin enumera algumas razões:

Em primeiro lugar, *os administradores da unção.* Os presbíteros não necessariamente tinham o dom de cura[156] e eram eles que administravam o rito da unção.

Em segundo lugar, *os receptores da unção.* Os receptores da unção eram membros da igreja e não incrédulos, enquanto os milagres estendiam-se a toda sorte de pessoas. Via de regra, os milagres foram usados no Novo Testamento para os descrentes.

Em terceiro lugar, *a generalidade da unção.* A unção estendia-se a todas as pessoas doentes da igreja. Isso evidencia o caráter não extraordinário da unção, uma vez que os milagres nunca foram universalizados.

Em quarto lugar, *os limites do dom de cura.* O extraordinário dom de curar não estava limitado ao uso do óleo.[157]

Em quinto lugar, *os resultados da unção.* Se toda unção de enfermos tivesse um efeito eficaz de cura, os cristãos teriam encontrado uma forma de escapar da morte.

Seguindo a linha de Goodwin, Satterlle posiciona-se afirmando que a cura do cristão não está limitada a um dom especial, a um único carisma que Deus dá para certos indivíduos, mas tem se tornado a oficial ação da igreja através de seus líderes.[158]

---

[155] GOODWIN, Thomas. *The Works of Thomas Goodwin.* Vol. 11. Eureka, California: Tanski Publications, 1861, p. 458-462.

[156] 1 Coríntios 12.9,28.

[157] Atos 3.6.

[158] SATTERLLE, Craig A. *The Pastoral Significance of Laying of the Hands and Anoiting the Sick*, p. 166.

A tradição católica romana

O Concílio de Trento, em 1551, reafirmou o dogma da extrema-unção, declarando que ele foi instituído por Cristo como um verdadeiro e próprio sacramento do Novo Testamento, visando preparar o enfermo para a morte.[159]

O Concílio Vaticano II restabeleceu a doutrina da unção, como unção de enfermos e determinou um re-estudo e renovação do sacramento. A palavra *extrema* foi removida, e o sacramento passou a ser chamado de *unção do enfermo*, deixando assim de ser aplicado apenas àquelas pessoas que estão à beira da morte.[160]

Hoje, o movimento carismático dentro da Igreja Católica Romana encoraja as pessoas a usarem o óleo em suas vidas diárias, ao passarem por dificuldades ou enfermidades.[161]

A tradição da igreja da Inglaterra

Quando os reformadores ingleses, sob a liderança de Thomas Cranmer, prepararam o primeiro Livro de Oração de Eduardo VI, eles incluíram um ofício de visitação aos enfermos. Esse livro regulamentou a questão da unção da pessoa enferma.[162] O entendimento desses reformadores era que a unção externa com óleo simbolizava a unção interna do Espírito, que trazia força, conforto, cura e alegria.[163]

---

[159] SATTERLLE, Craig A. *The Pastoral Significance of Laying of the Hands and Anoiting the Sick*, p. 126-128; BOWMAN, Warren. *Anoiting for Healing.* No JournalBretheren Life and Thought. 3.54-62. 1959, p. 55.

[160] ATKISON, David J. e FIELD, David H. *New Dictionary of Christian Ethics & Pastoral Theology*, 1995, p. 755.

[161] SATTERLLE, Craig A. *The Pastoral Significance of Laying of the Hands and Anoiting the Sick*, p. 132.

[162] Charles W. Gusmer. *Anoiting of the Sick in the Church of England.* No JournalWorship, 1973, p. 262,263.

[163] Charles W. Gusmer. *Anoiting of the Sick in the Church of England.* No JournalWorship, 1973, p. 264.

Martin Bucer, reformador alemão, vindo para a Inglaterra em 1549, referiu-se à unção de Tiago 5.14, à semelhança de Calvino, como um dom apostólico de cura, restrito ao tempo dos apóstolos.[164]Essa linha de argumentação, primeiro articulada por João Calvino e confirmada por Martin Bucer, foi mais tarde unanimemente adotada pela Igreja Anglicana do século 16.

Em 1552 o rito da unção de enfermos foi retirado do Livro Comum de Oração, o Segundo Livro de Oração de Eduardo VI e jamais foi restaurado.[165] Essa decisão, porém, teve resistência. Nos séculos 18 e 19 pessoas influentes na Igreja da Inglaterra advogaram a restauração do rito da unção de enfermos.[166]

A unção de enfermos na atualidade

Igrejas de linha reformada têm buscado uma definição para essa importante questão nos dias hodiernos, buscando resgatar o sentido bíblico dessa prática. A Igreja Presbiteriana do Brasil, na sua assembléia geral ordinária em 1998, na cidade de Brasília, aprovou o uso do óleo na unção de enfermos, deixando ao alvitre de cada conselho (pastores e presbíteros) orientar biblicamente o seu uso. É bem verdade que alguns pastores, por entenderem que a prática da unção com óleo não é mais contemporânea, ou mesmo por cautela, para fugirem dos exageros, preferem abolir completamente essa prática.

---

[164] Charles W. Gusmer. *Anoiting of the Sick in the Church of England.* No JournalWorship, 1973, p. 264,265.

[165] Charles W. Gusmer. *Anoiting of the Sick in the Church of England.* No JournalWorship, 1973, p. 265.

[166] Charles W. Gusmer. *Anoiting of the Sick in the Church of England.* No JournalWorship, 1973, p. 265.

Não podemos negar, todavia, que a unção com óleo tem se tornado cada vez mais difundida atualmente, embora muitos segmentos evangélicos tenham caído em condenáveis excessos em seu *modus operandi*.

Muitas igrejas contemporâneas voltaram às práticas cerimoniais do Velho Testamento, ungindo vestes, objetos, carros, carteiras e pessoas de forma indiscriminada. Precisamos compreender que os rituais do Velho Testamento eram sombras do que havia de vir (Cl 2.16,17). Esses rituais cessaram com o sacrifício perfeito e cabal do Senhor Jesus Cristo (Hb 10.11-14). Os únicos símbolos sacramentais que a igreja tem são a água do batismo e o pão e o vinho da Ceia do Senhor. A igreja cristã só tem dois sacramentos, o batismo e a Ceia do Senhor. Laboram em erro aqueles que colocam a unção com óleo como uma prática sacramental.

Há igrejas que ungem com óleo de forma generalizada, onde todas as pessoas que estão no templo entram numa fila e os pastores e presbíteros ungem as pessoas sem saber quem são, o que têm, e por que ali estão. Não vemos essa prática no Novo Testamento. Não vemos os apóstolos ungindo objetos, casas, bolsas e pessoas de forma indiscriminada. O que assistimos hoje é uma deturpação do ensino de Tiago 5.14. O que estamos assistindo é um misticismo sincrético forâneo às Escrituras. Compreendemos, entretanto, que a solução não é banir a unção com óleo por causa dos exageros daqueles que teimam em desobedecer as Escrituras. Paulo não baniu a Ceia do Senhor porque a igreja de Corinto estava cometendo excessos na celebração da Ceia (1Co 11.17-34). Não podemos jogar fora a criança junto com a água da bacia. Entendo que a inexistência dessa prática em alguns períodos da história não deve ser também o argumento decisivo para suspendermos a prática contemporânea. Nosso grande fundamento de fé é que a Bíblia é a nossa única regra de fé e prática. A pergunta que temos de fazer não é se os irmãos nossos do passado usaram ou deixaram de ungir os enfermos com óleo, mas sim se essa unção é uma prática legítima, bíblica, instituída pelo Senhor Jesus e ordenada por Tiago em sua carta inspirada.

Tiago não fala de enfermos sendo ungidos em culto público. Não existe rito de unção aos enfermos no culto público da igreja. Não existe unção com óleo às pessoas nem mesmo aos enfermos em culto público. A prática do Novo Testamento é que o crente, enfermo, deveria chamar à sua casa, não um presbítero, mas os presbíteros da igreja. Essa prática, a unção com óleo, deveria ser aplicada não a todas as pessoas da igreja ou da família, mas apenas aos enfermos, pelos presbíteros, no recesso da intimidade familiar. Os presbíteros deveriam não apenas ungir os enfermos, mas também impor sobre eles as mãos e fazer a oração da fé.

A unção com óleo para fins cosméticos

O uso do óleo como um cosmético possui um consenso unânime e universal. É um tema absolutamente incontroversículo. Por essa razão, não vamos nos deter em sua análise. Até, porque, não é esse o enfoque de Tiago 5.14.

A unção com óleo com propósitos cosméticos é claramente vista tanto no Antigo Testamento (Rt 3.3; Ct 4.10), como no Novo Testamento (Mt 6.17; Lc 7.38). Certamente este é o objetivo mais difundido da unção com óleo, presente até hoje, tanto no ocidente como no oriente.

Os egípcios, os gregos, os romanos e outros povos antigos foram acostumados a ungir o corpo ou partes dele como parte da sua *toilette*. Entre os gregos e os romanos o óleo era usado também para lubrificar o corpo dos atletas nos jogos e depois do banho.[167]Entre os hebreus a unção com óleo era combinada com lavagem ou banho em água (Rt 3.3; Et 2.12; Ez 16.9).[168]

No mundo bíblico, o óleo de oliva era usado para vários propósitos, inclusive para cozinhar e comer. Ele era usado também como combustível para lâmpadas (Mt 25.3). Mas, principalmente, ele servia como substância de limpeza nos banhos e como produto cosmético. Ele era usado na cabeça do hóspede, como um gesto de hospitalidade. Também, para dar conforto ao corpo, além de expressar um gesto de alegria e festividade (Sl 23.5; Ec 12.9; Mt 6.17; 26.7; Lc 7.38,46; Jo 12.3).[169]

A unção com óleo para fins medicinais

É claro o ensino bíblico sobre os efeitos terapêuticos do óleo.[170] No Antigo Testamento o óleo foi usado para tratar úlceras e feridas (Is 1.6). No Novo Testamento essa prática aparece claramente na parábola do Bom Samaritano (Lc 10.25-37). O óleo, ainda hoje, é usado no oriente para fins medicinais. A mistura de óleo e vinho foi usada para curar a doença que atacou o exército de Elius Galus, e foi aplicada externa e internamente. Os

[167] MCLINTOCK, John e STRONG, James. *Cyclopedia of biblical, theological, and ecclesiastical literature.* Vol 1. Grand Rapids, Michigan: Baker Book House, 1968, p. 239-241.

[168] CANNEY, Maurice A. *An Encyclopedia of Religious.* New York: E. P. Dutton & Co, 1921, p. 23.

[169] SATTERLLE, Craig A. *The Pastoral Significance of Laying of the Hands and Anoiting the Sick*, p. 187.

[170] O'BOYLE, Patrick A. *New Catholic Encyclopedia.* p. 565-577.

médicos de Herodes, o Grande, o aconselharam a se banhar em um vaso cheio de óleo, quando ele estava à beira da morte. Celsus recomendou o óleo para o tratamento da febre e algumas outras enfermidades.[171]

Os estudiosos e eruditos diferem sobre se Tiago tem em mente uma unção ritual ou medicamentosa. Alguns postulam a cura física, levando em consideração o fato de que a palavra grega comum para unção, *aleipho,* é usada em vez da palavra cerimonial *chrio.* Mas, isso está longe de ser conclusivo.[172]

Frank Gaebelein, porém, reforçava a tese do aspecto medicinal do óleo, citando o seu antigo uso: "Philo, Plinio e o médico Galeno, todos se referem ao uso medicinal do óleo. Galeno descreveu o óleo como o melhor de todos os remédios para a paralisia. [173] Na mesma linha de pensamento Warren Wiersbe entende que a unção com óleo em Tiago 5.14 refere-se à medicina. Segundo ele, a palavra grega traduzida por *unção* é um termo medicinal que poderia ser traduzido por massagem.[174] Assim, o que Tiago estaria recomendando é remédio e oração para o tratamento da enfermidade.

Jay E. Adams é, talvez, o mais enfático na defesa do uso medicinal do óleo em Tiago 5.14. Para ele, Tiago não escreve sobre unção cerimonial, pois a palavra grega ungir *aleipho,* que Tiago usa, não significa unção cerimonial. Segundo Adams, a palavra comum para a unção cerimonial

---

[171] EXELL, Joseph S.. *The Pulpit Commentary*, Vol. 21. p. 475-478.

[172] ATKISON, David J. e FIELD, Davi H. *New Dictionary of Christian Ethics & Pastoral Theology*, p. 755.

[173] GAEBELEIN, Frank E. *The Expositor's Bible Commentary.* Vol. 12. Zondervan Publishing House, 1982, p. 203,204.

[174] WIERSBE, Warren. *The Bible Exposition Commentary.* Vol. 2. Colorado Springs, Colorado: Chariot Victor Publishing, 1989, p. 382,383.

é *chrio*, um cognato de *Christos*, o Ungido. Em contrapartida, a palavra *aleipho,* segundo ele, significa friccionar ou aplicar. Essa palavra era usada para descrever a aplicação pessoal de ungüentos, loções e perfumes, que em geral tinha uma base de óleo. O termo *aleipho* relaciona-se com *lipos* (gordura). Ele era usado para esfregar ou aplicar óleo. *Aleiptes* era o treinador que massageava os atletas numa escola de ginástica. Também *aleipho* foi usado freqüentemente nos tratados de medicina.[175] Segundo Adams, o que Tiago defendia era o emprego da melhor medicina aceita na época, acompanhada de oração, ou seja, oração e remédio.[176]

J. A. Motyer, porém, já empregou o termo *aleipho* no aspecto medicinal e espiritual, [177] enquanto James Adamson olhou para o texto apenas pelo ângulo psicológico. Segundo Adamson, o uso do óleo em Tiago 5.14 era apenas para produzir um forte efeito psicológico no paciente.[178] De forma semelhante, Denis J. Hughes aborda a questão da unção com óleo pelo prisma psicológico. Na sua interpretação, o símbolo da unção mostra que nós pertencemos ao Ungido, na comunidade dos ungidos; que nós fomos separados e marcados como filhos de Deus; que nossos pecados são perdoados; que nossas dores e doenças estão sob o cuidado de Deus e do Seu povo; que há um bálsamo de cura para as nossas doenças e um cuidado comunitário para a nossa solidão. Na sua visão, unção sempre e necessariamente inclui o elemento do toque, e o toque é um símbolo da transferência de poder terapêutico.

---

[175] ADAMS, Jay E. *Competent to Counsel.* Presbyterian and Reformed Publishing Company. 1970, p. 105-108.

[176] Ibidem, p. 108.

[177] MOTYER, J. A. *The Message of James,* England. Downers Grove, Illinois: InterVarsity Press Leicester, 1985, p. 195.

[178] ADAMSON, James B. *The Epistle of James.* Grand Rapids, Michigan: William Eerdmans Publishing Company, 1976, p. 198.

Outras abordagens foram feitas sobre esse importante tema. Sophie Laws, por exemplo, entendeu que a questão da unção com óleo em Tiago foi deixada indefinida.[179] Nessa mesma linha de pensamento C. John Collins, depois de levantar várias questões no texto de Tiago 5.14 como: que tipo de doença ou fraqueza descreve a palavra *asthenei?* A doença é espiritual, física ou ambas? E se doença física, quão séria é? Que tipo de unção *aleipho* denota: medicinal, cerimonial ou ajuda para a fé? Finalmente, ele disse que Tiago não especificou o significado da unção com óleo, porque isso era de um entendimento comum entre o autor e sua audiência.[180]

Douglas Moo, porém, entendeu diferente e sintetizou esse processo de busca do significado da unção com óleo, afirmando que os teólogos e eruditos têm debatido sobre essa questão por longo tempo. A conclusão à qual ele chegou é que, a interpretação de Tiago 5.14 pode ser dividida em duas principais categorias: primeira, *o propósito prático*: medicinal e pastoral; segunda, *o propósito religioso*: sacramental e simbólico. A posição pessoal de Douglas Moo, porém, é que a unção de enfermos em Tiago 5.14 refere-se a uma ação física com um significado simbólico.[181]

Atualmente, sobretudo, há aqueles que olham o texto de Tiago 5.14 pelo ângulo pentecostal,[182] mostrando a relação entre pecado e doença, evidenciando que, se a doença tem a ver com o diabo, a cura provém de Deus.

---

[179] LAWS, Sophie. *The Epistle of James*. Massachussets: . Hendriksen Publishers, 1980, p. 227.

[180] COLLINS, John C. *James 5.14-16a: What is the Anoiting For?* No JournalPresbyterian. 23:79-91. 1997, p. 79-81.

[181] MOO, Douglas J. *The Letter of James*. England. Downers Grove, Illinois: InterVarsity Press Leicester, 1984, p. 241-242.

[182] THOMAS, John Christopher. *The Devil, Disease and Deliverance*. No Journal of Pentecostal Theology, 2.25-50. 1993, p. 25-50.

A vertente pentecostal, via de regra, tem interpretado a unção com óleo não como um instrumento medicinal, mas como um sinal da cura divina.[183]

A unção como ato simbólico de cura e consagração

Há diferentes usos da unção nas Escrituras:
1) Coroação de um rei (1Sm 9.16);
2) Ordenação de um sacerdote (Êx 29.7);
3) Instalação de um profeta (1Rs 19.16);
4) Consagração de objetos do culto (Êx 30.22-29);
5) Cura de feridas (Is 1.6);
6) Cura de enfermos (Mc 6.13; Tg 5.14);
7) Embalsamamento do corpo (Mc 16.1).

A admoestação registrada em Tiago 5.14 demonstra que a unção de enfermos era evidentemente praticada na igreja primitiva.[184]

Quanto ao significado dessa unção em Tiago, vários eruditos como T. Manton, Gary S. Shogren, J. A. Motyer, D. J. Moo e Ralph Martin interpretam-na como um sinal da cura milagrosa.[185]

A questão exegética levantada por Jay E. Adams, de que a unção com óleo não é cerimonial, mas medicinal, não possui amplo consenso. Ralph Martin, refutando Adams, argumenta que ambas as palavras *aleipho* e *chrio* significam ungir. Por que razão, então, Tiago escolheu *aleipho*? É porque *chrio*, diz Martin, jamais é usado no Novo Testamento para um ato físico de unção, como o caso de Tiago 5.14 requer. *Chrio* é sempre usado num

[183] Ibidem. p. 25-50.
[184] BOWMAN, Warren D. *Anoiting for Healing.* No Journal Bretheren Life and Thought, p. 55.
[185] THOMAS, John Christopher. *The Devil, Disease and Deliverance*, p. 37.

sentido metafórico (Lc 4.18; At 4.27; 10.38; 2Co 1.21; Hb 1.9).[186] Ralph ainda cita Josephus,[187] que demonstrou que os dois verbos gregos podem ser sinônimos, na descrição de um ato simbólico no Antigo Testamento.[188][188] Douglas Moo, nessa mesma linha, afirma que tanto na Septuaginta quanto em Josephus, *aleipho* e *chrio* são usados como sinônimos.[189] Leon McCune, ainda corrobora, afirmando que a Septuaginta regularmente traduz *aleipho* e *chrio* como palavras sinônimas respectivamente . Desta maneira, engrossa a fileira daqueles que defendem a tese de que a unção com óleo, em Tiago 5.14 não é medicinal, mas um símbolo espiritual.

Na verdade, o fundamental significado do óleo nas Escrituras foi o seu uso como um símbolo da graça de Deus (Sl 133). Ele é usado em conexão com a cura miraculosa.[190] Joseph Mayor foi mais enfático ao afirmar que não há a menor dúvida de que Tiago 5.14 está descrevendo uma cura miraculosa, seguida da oração da fé.[191]

É abundante, portanto, a prova bíblica do uso religioso do óleo como um símbolo espiritual.[192] A unção com óleo definia a consagração de uma pessoa ou objeto para o serviço do Senhor.[193] No Novo Testamento, a unção é usada com um sentido carismático de cura,[194] que não pode ser confundido com nenhum encantamento, magia

[186] MARTIN, James Ralph P. *Word Biblical Commentary*, p. 208,209.
[187] (Ant. 6:165,167)
[188] MARTIN, James Ralph P. *Word Biblical Commentary*, p. 208,209.
[189] MOO, Douglas J. *The Letter of James*, p. 241,242.
[190] KEDDIE, Gordon. *Practical Christian*. England: Evangelical Press, 1989, p. 211,212.
[191] MAYOR, Joseph B. *The Epistle of James*. Grand Rapids, Michigan: Kregal Publications, 1990, p. 542.
[192] O'BOYLE, Patrick A. *New Catholic Encyclopedia*. p. 565-577.
[193] Ibidem, p. 565-577.
[194] LEVINGSTONE, E. A. *The Oxford Dictionary of the Christian Church*. 3d. ed. Oxford University Press, 1997, p. 73.

ou mesmo com a extrema-unção, uma vez que a unção é para a vida e não para a morte, é para o corpo e não para a alma.[195]

Joseph Exell interpretou a unção com óleo como um símbolo do poder divino, ao mesmo tempo que era uma ajuda para a fé da pessoa enferma. Foi com esse propósito que Jesus usou a saliva e o lodo em duas de Suas curas.[196] Exell enumera quatro razões para sustentar a sua tese:

Em primeiro lugar, o óleo não é medicinal aqui em Tiago porque o texto não diz que o óleo cura nem que o óleo mais a oração curam, mas que a oração da fé salvará o enfermo e o Senhor o levantará.

Em segundo lugar, são os presbíteros, autoridades espirituais e não sanitárias, que devem aplicar o óleo em nome do Senhor. Se a unção fosse medicinal, ela poderia ser feita por qualquer outra pessoa, sem a necessidade da convocação dos presbíteros.

Em terceiro lugar, a cura não vem como o efeito terapêutico do óleo, mas como um conjunto de fatores: imposição de mãos, unção com óleo, oração da fé, confissão de pecados e perdão.

Em quarto lugar, as palavras "em nome do Senhor" colocam os limites da cura. O poder está no nome de Jesus. A cura vem pelo poder do nome de Jesus e não pelo efeito terapêutico do óleo.[197]

Na verdade, o uso do nome do Senhor, no rito da unção, faz do ato um rito religioso e não uma prática medicinal.[198] Outro argumento que fortalece a tese da simbologia

---

[195] CLARKE, Adam. *Clarke's Commentary*. Vol. 3. Nashville, N.d: Abingdon, p. 826.

[196] EXELL, Joseph S. *The Biblical Ilustrator- S. James*, p. 475-478.

[197] EXELL, Joseph S. *The Biblical Ilustrator- S. James*, p. 475-478.

[198] ALLEN, Clifton J. *The Broadman Bible Commentary*. Vol. 12. Nashville: Broadman Press, 1972, p. 136-138; DIBELIUS, Martin. *James*. Pennsylvania: Fortress Press, 1956, p. 252.

espiritual é que Tiago recomenda o óleo para todas as espécies de doenças, enquanto o óleo naqueles dias era usado apenas para alguns tipos de enfermidades.[199]

Argumentando a respeito da simbologia espiritual do rito prescrito em Tiago 5.14, William MacDonald diz que o poder da cura não está no óleo, mas o óleo simboliza o Espírito Santo em seu ministério de cura (1Co 12.9,28).[200]Em momento nenhum Tiago atribui ao óleo qualquer poder intrínseco de cura.[201]

Gary S. Shogren manifestou sua frontal discordância de Jay Adams, quando este defendeu o uso medicinal do óleo, afirmando que o óleo era a melhor medicina do primeiro século. Para substanciar sua tese, Shogren enumera vários argumentos:

Em primeiro lugar, o óleo não era uma panacéia. Ele era útil para febre, dores de cabeça, feridas; mas não tinha nenhum valor medicinal para outras enfermidades tais como doença nos ossos, ataque cardíaco e enfermidades infecciosas, como a lepra. Nesses casos, o óleo não apenas não era a melhor medicina, como não era uma boa medicina. Ainda, o Talmude menciona toda sorte de remédios e o óleo é colocado como um dos menos importantes.

Em segundo lugar, no texto de Tiago 5.14 é a oração da fé que "salva" o doente e não o óleo. Não há qualquer menção do poder medicinal do óleo em Tiago 5.14.

---

[199] BUTTRICK, George Arthur. *The Interpreter's Bible*. Vol. 12. Nashville: Abingdon Press, 1957, p. 70-77.

[200] MACDONALD, William. *Believer's Bible Commentary*. Nashville: Thomas Nelson Publishers, 1995, p. 2244.

[201] THOMAS, John Christopher. *The Devil, Disease and Deliverance*. No Journal of Pentecostal Theology, p. 39.

Em terceiro lugar, possivelmente a enfermidade descrita aqui em Tiago 5.14 é causada por problemas espirituais. O próprio Jay Adams denomina essas doenças de *hamartiagênicas,*[202] ou seja, doenças geradas pelo pecado. O óleo não teria então, qualquer valor medicinal para uma doença de cunho espiritual.

Em quarto lugar, a melhor medicina não pode explicar a passagem paralela de Marcos 6.13, que usa a mesma palavra grega *aleipho.* Não há dúvida que a cura em Marcos 6.13 é miraculosa. Sendo que essas curas apostólicas foram miraculosas, deve-se perguntar: por que os apóstolos deveriam usar a melhor medicina, se eles estavam curando mediante o direto poder de Deus?

Em quinto lugar, a unção de enfermos era para ser acompanhada pela invocação do nome do Senhor, evidenciando que o óleo não tem efeito sem a intervenção do Senhor. Quando Jay Adams argumenta que sua tese é medicina e oração, deve-se perguntar: então, por que a medicina moderna cura aqueles que não oram?[203]

Gary S. Shogren, refutando ainda os postulados de Jay Adams, evoca o erudito em lingüística Richard C. Trench, quando este afirma que *aleiphen* é usado indiscriminadamente para todo tipo de unção, enquanto *chrion* é absolutamente restrito à unção do Filho de Deus. Trench ainda declara que na Septuaginta *aleiphen* é usado como unção religiosa e simbólica duas vezes (Êx 40.13; Nm 3.3), exemplos que desaprovam "o secular" significado de

[202] ADAMS, Jay E. *Competent to Counsel.* p. 105.

[203] SHOGREN, Gary S. *Will God Heal Us – A Re-Examination of James 5.14-16a.* No JournalEvangelical Quaterly. 61:99-108. 1989, p. 102-104.

aleipho. Concluímos, então, que *chrio* é usualmente restrito à unção religiosa, enquanto *aleipho* pode referir-se a qualquer unção.[204]

Podemos ainda observar, que a tese defendida pelo ilustre escritor Jay Adams, de que *aleipsantes* seria um indicativo do uso medicinal do óleo, é vulnerável quando se nota, por exemplo, que a mesma expressão *aleipsai* é utilizada em Marcos 6.17, onde o uso do óleo é claramente cosmético e em Marcos 16.1, onde *aleipsosin* é usado para uma espécie de mumificação do corpo de Cristo após sua morte.

B. H. Carroll esposou a mesma linha de Shogren, ressaltando que o óleo, embora eficaz para algumas enfermidades, não o era, todavia, para outras.[205] Além do mais, Tiago recomenda a unção para todas as doenças, enquanto o óleo só era usado para alguns tipos de enfermidade.[206] O contexto de Tiago 5.14 favorece a idéia de que a pessoa enferma era apenas ungida, ou seja, simbolicamente tocada com o óleo e não massageada com óleo.[207]

O reformador João Calvino foi explícito em afirmar que não podia concordar com aqueles que acreditavam que a unção era medicinal. Para Calvino, essa unção era um símbolo da cura milagrosa, ou seja, possuía um caráter carismático.[208]

---

[204] SHOGREN, Gary S. *Will God Heal Us – A Re-Examination of James 5.14-16a*. No JournalEvangelical Quaterly. 61:99-108. 1989, p. 105,106.

[205] CARROLL B. H. *An Interpretation of the English Bible – James*. Baker Book House. Grand Rapids, Michigan, 1973, p. 45-50.

[206] BUTTRICK, George Arthur. *The Interpreter's Bible*, p. 70-77.

[207] ALLEN, Clifton J. *The Broadman Bible Commentary*, p. 136-138

[208] CALVIN, John. *Calvin's Commentaries*, p. 355,356.

João Calvino, Lutero e outros eruditos como B. B. Warfield entenderam, porém, que a prática da unção, com o seguido poder de cura, foi limitado à idade apostólica.[209] Lutero teve uma experiência profunda com o que Tiago chama de "a oração da fé".[210] O grande avivalista e evangelista americano do século 19, Dwight Limman Moody foi ungido, a seu próprio pedido, em sua última enfermidade, mostrando crer nessa prática.[211]

Martin Lloyd-Jones, um dos grandes herdeiros do puritanismo moderno, porém, embora faça críticas àqueles que nesciamente tentam agendar os milagres, entende que a oração da fé em Tiago 5.14,15 é colocada na mesma categoria dos milagres apostólicos. Ele ainda enfatiza que Deus pode fazer milagres hoje como Ele fez no passado.[212] Jones ainda adverte para o perigo de dois extremos: o de sermos infantilmente crédulos e o de sermos cegamente céticos, apagando o Espírito, tornando-nos, assim, culpados de reduzir o poder de Deus à medida do nosso entendimento.[213]

Martin Bernard, seguindo essa mesma linha de pensamento, defende a tese de que a imposição de mãos e a unção com óleo foram instituídas por Jesus Cristo como sinal do poder do Espírito Santo. Mais do que um sinal de cura, diz Bernard, a unção implica também em consagração a Deus. A conclusão de Bernard é que a unção com óleo é um ato contemporâneo.[214]

---

[209] MOO, Douglas J. *The Letter of James*. p. 242.
[210] HASTINGS, James. *The Speaker's Bible – James*. Grand Rapids, Michigan: Baker Book House, 1962, p. 206.
[211] KRAHN, Cornelius. *The Mennonite Encyclopedia*. Vol. 1. Pennsylvania: Mennonite Publishing House, 1976, p. 128.
[212] JONES, Martin Lloyd-. *The Supernatural in Medicine*. N.p. 1971, p. 23,24.
[213] Ibidem. p. 23,24
[214] BERNARD, Martin. *The Healing in the Church*. Richmond, Virginia: John Knox Press, 1960, p. 97-102.

Finalmente, J. A. Motyer levanta algumas questões pertinentes no texto em estudo: primeiro, os presbíteros são chamados pela pessoa enferma, em vez dela ir a eles. Segundo, são os presbíteros que oram e ungem. Terceiro, a pessoa doente não é ungida sob a base da sua fé pessoal para ser curada. Quarto, a pessoa doente estava confinada em sua cama, por isso os presbíteros oram sobre ela. Quinto, Tiago, portanto, não está falando de um culto público de cura. Os presbíteros vêm à casa da pessoa enferma, a pedido dela. Sexto, Tiago não está prescrevendo um rito para ser usado em pessoas semiconscientes ou inconscientes, pois deve haver uma interação entre os presbíteros e a pessoa enferma.[215] As conclusões deste prolífero escritor são de grande valor no sentido de orientar o *modus operandi* do rito da unção, sobretudo em nossos dias.

Vimos, ao longo desta análise de Tiago 5.14, como os estudiosos entenderam a questão da unção com óleo na sua perspectiva histórica, bíblica, exegética e teológica.

A bem da verdade, é preciso deixar claro também, o que Tiago 5.14 não diz. Certamente o ensino geral das Escrituras não sustenta a tese de que a unção e a oração são instrumentos infalíveis para a cura de qualquer enfermidade, de qualquer pessoa, em qualquer tempo. O uso da unção com óleo não impede, certamente, pessoas crentes de ficarem doentes ou mesmo de morrerem. Também não podemos, baseados em Tiago 5.14, defender a tese de que sempre é da vontade de Deus curar. Paulo (2Co 12.7,8), Timóteo (1Tm 5.23) e Trófimo (2Tm 4.20) não foram curados, mesmo sendo pessoas piedosas.

[215] MOTYER, J. A. *The Message of James,* England. Downers Grove. Illinois: InterVarsity Press Leicester, 1985, p. 195.

Por outro lado, não podemos deixar de crer e obedecer o que Tiago 5.14 ensina. Esta é uma tremenda mensagem para a igreja contemporânea. Precisamos cuidar dos enfermos com intenso amor e profunda compaixão, como Jesus fez ao longo do Seu ministério. A igreja deve ser sempre uma comunidade terapêutica.

Concluindo, podemos sintetizar nossa posição nos seguintes pontos principais:

Em primeiro lugar, a unção com óleo não pode ser confundida com a profunda distorção do dogma católico romano da extrema-unção, nem mesmo com a nova roupagem que tentaram dar a ele no Concílio Vaticano II, denominando-o de "o sacramento da unção de enfermos".

Em segundo lugar, a unção com óleo não pode ser confundida com a prática mística, sincrética, tão vulgarizada hoje em muitos segmentos carismáticos, onde a unção com óleo tem sido feita em cultos públicos, ungindo-se pessoas e objetos, de forma indiscriminada, sem os devidos critérios bíblicos.

Em terceiro lugar, a unção com óleo não pode ser substituída apenas pelos recursos medicamentosos. Cremos firmemente que a medicina é dádiva de Deus. Cremos que ela deve ser usada como recurso legítimo, estabelecido pelo próprio Deus. Cremos que, em última instância, toda cura é divina, visto que é Deus quem sara todas as nossas enfermidades. Ele sempre foi, é e será o Jeová-Rafá, o Deus que nos cura. Um conceituado médico evangélico disse: "Deus cura sem os meios, com os meios e apesar dos meios".

Em quarto lugar, amparados por uma nuvem de testemunhas, que com fidelidade interpretaram o texto de Tiago 5.14, entendemos que a unção com óleo é um símbolo espiritual da cura divina.

E, por fim, entendemos que a unção, mais que simbólica, é contemporânea,[216] sendo assim, legítima no meio da igreja, quando usada segundo as balizas da própria Escritura.

[216] Em 1998, em Brasília, D.F., o Supremo Concílio da Igreja Presbiteriana do Brasil aprovou o uso da unção com óleo, cabendo a cada pastor e conselho orientar biblicamente a sua prática.

Conclusão

Depois que ficamos diante do espelho desta Carta inspirada pelo Espírito de Deus, não podemos sair e esquecer as lições profundas e pertinentes que Tiago nos ensina. Importa-nos lembrar que o povo de Deus é peregrino neste mundo. É um povo em constante dispersão. Aqui não é nossa pátria, aqui não é o nosso lar. Neste mundo vamos ter aflições, mas devemos enfrentá-las com alegria, sabendo que embora variadas, elas são passageiras e nos instruem. Elas visam, em última instância, ao nosso bem, visto que o mesmo Deus que governa os céus e a terra também dirige o nosso destino.

Neste mundo, enfrentamos tentações internas e externas. Precisamos conhecer a Deus para, então, conhecermos a nós mesmos e o mundo que nos cerca. A força para a vitória nas tentações não vem de dentro, mas do alto; não vem de nós mesmos, mas de Deus. O segredo do sucesso não é a celebrada propaganda da auto-ajuda, mas a verdade insofismável da ajuda do alto. A primeira é humanista, a segunda procede de Deus.

Aprendemos no estudo desta preciosa carta de Tiago que existe uma religião verdadeira e outra falsa. A religião verdadeira, plantada no solo da verdade, frutifica abundantemente, e seus frutos são amor e santidade. Onde a intolerância prevalece, o amor inexiste. Onde o amor governa nossas ações, aí está uma marca indiscutível de que somos discípulos de Cristo. Se não refrearmos nossa língua nem nos guardarmos do mal, se não visitarmos os órfãos e as viúvas e não socorrermos os aflitos, nossa religiosidade não passará de uma propaganda enganosa. A religião verdadeira é mais do que dogmas, é vida!

Tiago descortina diante dos nossso olhos o grande tema da fé verdadeira e da fé falsa. A questão não é a fé, mas o objeto da fé. Muitos têm fé, mas ainda perecem, pois têm fé em ídolos, em si mesmos, nos seus méritos e obras, ou até têm fé na fé. Tiago falou da fé racional, da fé dos demônios e da fé morta. Uma fé apenas racional não pode nos salvar. Uma fé racional e emotiva não é melhor do que a fé dos demônios. Eles, os demônios, crêem e tremem, ou seja, têm uma fé racional e emocional, mas estão perdidos para sempre. A fé que professa uma coisa e faz outra é morta, e por isso, inócua. A fé verdadeira crê na verdade, vive na verdade e proclama a verdade.

A carta de Tiago é um texto profundamente prático. É considerado com justiça, conforme já dissemos, o livro de Provérbios do Novo Testamento e o texto mais próximo do Sermão do Monte. Tiago tange a questão da língua de forma séria e criativa. Ele fala que a língua pode dar vida ou matar. A língua pode ser uma fonte de bênção ou um canal de morte. A língua é fogo, veneno e uma fonte que jorra águas amargas. Ela pode devastar e destruir como o fogo; pode matar como o veneno e pode tornar a vida amarga como fel. A língua, embora seja um órgão tão pequeno do corpo, governa-o ou destrói-o. A língua é como um leme ou freio. Pode dirigir-nos pelas águas plácidas ou empurrar-nos para os rochedos; pode levar-nos pelo caminho seguro, ou empurrar-nos para o abismo. Tiago descreve que o homem, como adminstrador e mordomo da Criação, domestica os animais do campo, as aves do céu e os peixes do mar, mas não consegue domar a sua própria língua. É capaz de dominar cidades e reinos, mas não consegue dominar a si mesmo.

Tiago também fala sobre o grande abismo que existe entre a sabedoria terrena e a sabedoria celestial. A sabedoria terrena pode ser ilustrada pelo utilitarismo: "O importante é levar vantagem". Vivemos em uma cultura de exploração, de egolatria, de ganância desenfreada. Os homens perversos e maus mentem, exploram, usurpam, corrompem, roubam e matam para acumular vantagens e tesouros. Usam o conhecimento, influência e poder apenas para prevalecer sobre os demais e não para ajudá-los. Buscam os próprios interesses e não o interesse dos outros. Vivem olhando para o próprio umbigo, embriagados pela soberba, aplaudindo a si mesmos, enquanto naufragam no mar de vaidades. É diferente a sabedoria celestial. Ela é altruísta e cheia de amor. Ela busca a glória de Deus e o bem do próximo, mais do que o enaltecimento de si mesmo.

Tiago faz uma radiografia da sociedade atual, quando trata das guerras que travamos contra o próximo, contra nós mesmos e contra Deus. O ser humano é um ser em constante conflito. O pecado atingiu a essência do seu ser. Agora, o homem perdeu sua comunhão com Deus, com o próximo, consigo mesmo e com a natureza. A história da humanidade tem sido a história das guerras. A terra está cambaleante, afogada no sangue. As nações poderosas, muitas vezes, esmagam as mais fracas e pilham-nas para assentarem-se como as donas do mundo. A globalização é um fenômeno draconiano que esmaga as nações pobres e fortalece os braços dos poderosos.

Tiago, ainda, desmascara a arrogância daqueles que pensam que podem traçar planos e projetos para o futuro sem a dependência de Deus. Somos seres limitados em tempo, ação e poder. Sem a ajuda de Deus, não podemos dar um passo sequer. Se ele cortar nossa respiração, pereceremos inapelavelmente. Nada podemos fazer sem Jesus. Por conseguinte, não deve haver espaço para a soberba no coração do homem. Sábio é aquele que reconhece a Deus e anda nos Seus caminhos humildemente e busca a Sua vontade para tomar as pequenas e grandes decisões no presente e no futuro.

A carta de Tiago denuncia com grande firmeza a ganância insaciável dos ricos. Ele enfrenta os poderosos, que de forma fraudulenta retiveram o salário dos jornaleiros para acumular suas riquezas. Ele ataca com argumentos irresistíveis aqueles que buscam segurança no dinheiro. Tiago revela que o dinheiro é mais do que uma moeda, ele é um ídolo, um deus, ele é Mamom. O dinheiro tem muitos escravos. E não são poucos os que vendem a consciência e a própria alma para chegar ao topo da pirâmide social, e quando alcançam o zênite desse zigurate econômico, descobrem que lá em cima não existe nem segurança nem felicidade. Ao contrário, aqueles que acumularam riquezas de maneira ilícita enfrentarão inexoravelemente o justo juízo de Deus. O dinheiro retido com fraude dos trabalhadores ergue-se ao céu com voz altissonante e a mão pesada de Deus desce velozmente para fazer justiça.

De forma criatiava, Tiago trata da questão da paciência no sofrimento. Ele ilustra essa paciência com a lida do agricultor, com a saga dos profetas e com o drama vivido por Jó. A paciência parece ser uma virtude em extinção no mundo contemporâneo. Queremos as coisas a tempo e a hora. Não temos paciência para esperar. Gostamos de comprar produtos de pronta-entrega e comer em restaurantes *fast food*. Vivemos espremidos pelo clamor das coisas urgentes. Mas, nesse contexto de impaciência na alma, no lar, na igreja, no trabalho, na sociedade, Tiago nos traz para o centro da reflexão de que devemos viver pacientemente, mesmo no meio do sofrimento até a volta de Jesus.

Finalmente, Tiago fala da eficácia da oração. Por ser um livro prático, Tiago inicia e termina com oração. Não há cristianismo sem oração. Não há maturidade espiritual sem oração. A oração não é um apêndice da vida cristã, mas a sua própria essência. Devemos levar nossas causas a Deus. Devemos orar uns pelos outros. Devemos crer na intervenção milagrosa de Deus através da oração. Deus levanta o enfermo por intermédio da oração. Se você crê no Senhor Jesus, é justo, e a oração do justo é eficaz. Tiago cita o profeta Elias, um homem poderoso na oração. Ele orava e o céu se fechava; ele tornava a orar, e o céu se abria. Ele orava e o azeite da viúva jorrava sem parar. Ele tornava a orar e a alma de um menino morto voltou a ele e o menino ergueu-se do leito da morte. Elias orava e o fogo do céu descia; ele orava novamente e as torrentes do céu visitavam abundamente a terra seca. Tiago diz que o sucesso da oração de Elias não era devido aos seus predicados especiais, visto ser homem sujeito aos mesmos sentimentos. Deus o ouviu porque ele era justo. Em Cristo, também somos justos, por isso, devemos orar insistentemente, confiantes e perseverantemente.

Tiago não pode ser visto apenas como uma relíquia do passado. Ele é um texto atual, contemporâneo, vivo, pertinente, inspirado e infalível. Estudá-lo é entrar no âmago da nossa própria alma e colocarmo-nos diante do espelho da verdade revelada. Que ao contemplarmos a glória de Deus na face de Cristo sejamos transformados de glória em glória na sua própria imagem. Minha recompensa será ter a alegria de saber que sua vida foi edificada e consolada pelo Senhor Jesus, Aquele que transforma provas em triunfo.

Sua opinião é importante para nós.

Por gentileza, envie-nos seus comentários pelo e-mail:

editorial@hagnos.com.br

Visite nosso site:

www.hagnos.com.br